新訂
第2版

スキルアップ！
情報検索
基本と実践

中島玲子・安形輝・宮田洋輔　著

日外アソシエーツ

装 丁：赤田 麻衣子

まえがき

　本書は、情報検索を初めて学ぶ学生の方や、体系的に学ぶ機会がなかった社会人の方々に向けて執筆しました。各種情報源の網羅的な紹介というよりは、検索方法の考え方に主眼を置いています。

　いまや、サーチエンジンやさまざまな情報検索サイトなど、情報検索は日常生活のごく一部になりました。専門知識がなくても簡単に情報検索ができるようになったとはいえ、きちんと情報を検索して、得られた情報が適切かどうかを評価するには、やはり一朝一夕にはいきません。日頃から、どうもピンとくる情報が見つからない方や、情報検索に対する苦手意識をもっている方も多いでしょう。

　そのような方々のために、本書では例題を多く取り入れ、基本編、実践編、裏ワザ編の３本立てで、基礎から体系的に学んでいけるような構成にしました。応用編にあたる部分は、あえて「裏ワザ」編となっています。さらに、より発展的なトピックはコラムとしてまとめました。検索時間の大幅短縮と検索の楽しさを実感していただければ幸いです。

　また、司書課程科目の「情報サービス演習」のような授業の教科書や参考書としても活用できる構成にしてあります。学校図書館の現場でも、情報検索の必要性は以前より増しています。そういった現場の方々にも活用していただけることを願っています。

　執筆にあたっては平易な言葉づかいに努めたので、技術的な部分の記述を物足りなく感じる方も多いかもしれません。より専門的な類書や、本書で培った検索力をもって、さらなる知識の習得をしてください。

　末筆ながら、遅筆な執筆陣を忍耐強く笑顔で導いてくださった編集担当の我妻滋夫氏に、心からお礼申し上げます。

執筆者代表　中島　玲子

新訂版まえがき

　2017年に本書の初版が刊行されてから、早３年が経過しました。目まぐるしく変わり続けるインターネット社会において、情報検索の変化も例外ではありません。この３年間に更改や終了になった検索システムやサービスもあれば、新たに登場したものあります。今回、紹介する情報源を全面的に見直し、変更に対応しました。

　また、時代の移り変わりとともに検索の仕方も変わってきています。スマートフォンやSNSを活用した情報の探し方もさらに増えていることから、これらについても新たに取り上げることにしました。

　初版の刊行以来、様々な立場の読者の方々から多くのコメントをいただきました。これらを参考にしつつ、読者の理解しやすさを考え、基礎から応用までスムーズに展開するように構成を見直しました。

　例えば、初版では発展的な内容の解説はコラムとして、基礎編および実践編の関連のある節の前後に配置していましたが、新訂版ではこれらをまとめて応用編、PC Tipとして独立させました。これにより、必要に応じて発展的な内容をすぐ確認できるようになりました。

　初版は、情報検索が苦手意識を持つ方や不慣れな方を対象にして、できるだけ平易な言葉づかいに努めました。また、方針としては、各種情報源の具体的な紹介というよりは、検索方法の考え方に主眼を置いて、具体例をあげて解説しました。新訂版もこの方針を引き継いでいます。読者の方々が欲しい情報を的確に見つけ、さまざまな情報源を自在に活用できるようになるための一助となれば幸いです。

　最後になりましたが、新訂版の刊行に向けてご尽力いただきました編集担当の木村月子氏に、深くお礼申し上げます。

　2020年11月

執筆者代表　中島　玲子

凡 例

検索式の表記について

　下記の通り、各検索項目は＜　＞、検索語は「　」で区別します。

　＜検索項目＞＝「検索語」

　論理演算子は、論理積（AND）、論理和（OR）、論理差（NOT）のように大文字で表記します。

　例）著者に「宮島輝」を含み、タイトルに「情報か検索」を含む

　＜著者＞＝「宮島輝」　AND　＜タイトル＞＝「情報 OR 検索」

論理積（AND）の表記について

　同一検索項目内での論理積の表現は、論理演算子のANDを用いずに空白文字で表現しています。サーチエンジンをはじめ多くの検索システムでは、検索語同士を空白文字（スペース）で区切ることにより論理積（AND）の働きをすることが一般的になっているためです。

　例）著者名に「宮」と「輝」を含む

　＜著者＞＝「宮 輝」

目　次

第Ⅰ章　情報検索　基本編

目　次

目　次

第Ⅱ章　情報検索　実践編

目 次

第Ⅲ章　情報検索　応用編

目 次

目 次

目　次

目 次

Web情報源について

Web情報源を示すWebページは、所在（URL）、内容、画面構成ともに、改変される頻度が高いため、本書では、具体的なWebページの紹介は必要最低限にとどめました。

このため、原則として、Webページ（Webサイト）のトップページの名称及びURL（アドレス）のみを掲載しています。Webサイトに含まれる個々のページについては、トップページからたどってください。なお、本書は、2020年11月現在の状況に基づいています。

また、本文中で紹介したWeb情報源については、最新のリンク集を公開しています（右記QRコード）。なお、日外アソシエーツの下記URLからも上記リンク集をご覧いただけます。併せてご活用ください。

https://www.nichigai.co.jp/sales/skillup_link.html

第 Ⅰ 章
情報検索　基本編

1 情報を検索するとは
情報検索は楽しい

情報検索とは

　情報検索とは、コンピュータを使ってデータや情報が蓄積されたデータベースから必要な情報を取り出すことをいいます。技術的なことは後の章で詳細に触れるとして、実際には、**検索語**（検索に使う語）を組みあわせた質問を検索システムに入力し、その質問と照合して一致するデータがヒットする（選び出される）だけです。

　コンピュータが「はい、これがあなたの求めている情報です」とポンと出してくれるわけではないので、ヒットしたものが**情報要求**（欲しい情報）に合っているかどうかは、自身で判断しなければなりません。また、世の中にあるすべての情報が探せるわけではなく、見つけられるのはデータベースに格納されている情報に限られます。

　以前は大型コンピュータを使って情報検索が行なわれていましたが、やがてパーソナルコンピュータつまりPC（パソコン）を使うようになり、最近ではiPadなどのタブレット型端末やスマートフォンでも検索が行なわれるようになりました。音声での検索方法もだんだん進化してきています。しかし、手段は変わっても情報検索の基本的な考え方は変わりません。ここでは効率よく楽に情報を探す方法について考えてみましょう。

情報検索は楽しい

　インターネットと、PCやタブレット端末などの小型のコンピュータが

普及して、情報検索はぐっと身近な存在になりました。情報検索ができる
端末があれば、自宅でニュースやドラマを見ていても、町中を歩いていて
も、思い立ったらすぐに調べられます。遠い図書館の**蔵書目録**も、行った
ことがない街の詳しい地図も風景写真も外国の新聞記事も、その場に足を
運ばなくても手に入れることができます。場合によっては報道されている
よりも詳しい情報を直接得られるかもしれません。

　情報検索のメリットはすぐに調べられることだけでなく、キーワードと
なる言葉を検索語として使うだけで、ピンポイントで情報が出てくること
です。分厚い本や事典と首っ引きでページをめくる必要はありません。う
ろ覚えの歌が思い出せなくても、歌詞や曲名の一部を覚えていれば何の歌
かすぐわかり、運がよければWebでその歌を聞くこともできます。あり
あわせの食材で料理をしたい時も、食材名で検索すればその食材を使った
レシピが手に入りますし、調理方法を動画で閲覧できることもあるでしょ
う。

　ところで、本書を手に取った方々は、初学者か、情報検索がどうも苦手
だと思っている方々ではないでしょうか。「情報検索は楽しい」と聞いた
ら「えっ」と驚かれるかもしれません。何をどう調べるのか見当もつかな
いという人もいれば、探しても探してもなかなか目的の情報が得られない
とこぼす人もいるでしょう。何をするにも情報収集は大事ですし、今まで
知らなかったことがわかるのは楽しいことです。しかし情報過多といわれ
るこの時代は、情報があり過ぎて困ることもあります。迷子にならずに目
的の情報にたどり着くためにはどうすればよいのでしょうか。

なぜ欲しい情報が見つからないのか

　情報検索をしてもうまく情報が見つからないと思っている方は、以下に
あげるような特徴に思いあたることはありませんか。

　　・思いついた検索語をやみくもに入力してしまう

・見つからないとすぐ諦めてしまう
・いつの間にか深みにはまってしまう
・探すべき場所（情報源）がわからない
・自分が何を調べようとしたのか見失ってしまう

　ある単語の意味を調べるとかある施設の場所を調べるとか、単純な検索ならまだいいのですが、複数の検索語を組み合わせたり、いくつか段階を踏んで調べを進めていったりする場合は、検索の筋道に沿う必要があります。検索の筋道を**検索戦略**といいます。本格的な検索戦略については第I章5「検索には戦略がある」で詳細に述べますが、まずはスムーズに検索を進めていくためのちょっとしたコツをお話しましょう。

何を調べたいのかはっきりさせる

　情報検索を始める前にひとつ大事なのは、どんな情報を探したいのか、目的とする情報のイメージをもつことです。例えばサーチエンジンで何かを調べ始めると、関連しそうなページが複数表示されます。しかし、とりあえず目を通したり、リンクをたどってさらに別のページを見ていたりするうちに、何を調べていたのかわからなくなってしまった経験はありませんか。そういう時は、目の前にある検索結果が当初探そうと思っていたものとずれているのかもしれませんし、しかるべき検索結果が出ているのに目的の情報が記載されている箇所を見つけられていないだけなのかもしれません。もしかしたら使うべき検索語や情報源が違っていた可能性もあります。

　このようなことを避けるために、あらかじめ何をどのくらい知りたいのかをメモにしておくとよいでしょう。情報検索をしながらそれを時々見返すと軌道修正することができます。例えば、以下のように目的とする情報の主題や範囲（時期・対象・種類など）を書き出しておきます。

　　「ダイオウイカの生態について子ども向けの解説が欲しい」
　　「スギ花粉以外で春の花粉症の原因となる花粉の種類を知りたい」

　これから調べる事柄なのでその時点では簡単でかまいません。検索して新しい情報が出てきたらメモに書き加えていくと、条件を変えたり後で見返したりする時にも役に立ちます。

　友達や家族に頼まれて調べ物をする時も同様です。誰かの代わりに検索する時は、それぞれの思い込みもあるので、目的とする情報のイメージが食い違うかもしれません。せっかく調べたことが後で無駄にならないように、メモを作ってお互い確認するようにするといいでしょう。

適切な検索語を選ぶ

　うまく情報検索をするためには検索語の選び方も大事です。検索語は原則として単語で入力します。検索システムによっては質問文で検索できるものもありますが、現時点では検索システムが解釈しやすいように、単語単位の検索語を組み合わせて入力するのが一般的です。つまり人間が検索システムに合わせてあげるのです。

　例えば、知りたいことが「ダイオウイカの生態」であれば「ダイオウイカ　生態」のように助詞を抜いて検索語とし、これらの語を2つとも含むものを探します。もっと複雑な組み合わせ方については、第Ⅰ章2「データベースと検索の仕組み」で説明します。

　作品のタイトルや特定の言い回しのような場合には、単語に分ける必要はありません。例えば小説の『吾輩は猫である』ならば「吾輩　猫」のように分けずに、タイトルそのもので検索したほうがいいでしょう。一部分を抜き出して検索語にしても有効です。サーチエンジンはページの本文を検索する**全文検索**という方法をとります。全文検索は本文中に含まれているひとまとまりの句や文を検索することもできます。

　さらに、目的とする情報の中でどんな言葉が使われているかを想像し、

情報の種類に応じて検索語を使い分けるといいでしょう。新聞記事ならいかにも見出しにありそうな言い回し、専門的な情報を探すなら専門用語、といった具合です。表示された検索結果の中から検索語として使えそうな言葉を見つけて、その言葉で検索し直すのもいい方法です。

適切な情報源を選ぶ

　よく考えた検索語を使ったはずなのに見つからないということもあるでしょう。もしかしたら該当する情報が存在しないかもしれませんが、ひょっとすると見当違いの情報源で探しているかもしれません。

　データベースの収録範囲にはそれぞれ得意分野があります。図書や雑誌を探すには**OPAC**（Online Public Access Catalog）やオンライン書店のサイトがあり、雑誌記事や新聞記事を探すにはそれぞれの記事データベースがあります。サーチエンジンは通常の検索のほか、地図や動画などに限定して検索する機能が提供されていますが、それ以外にも学術情報や特許情報などに特化した専門のサーチエンジンもあります。

　また、データベースに収録されていない情報もあります。その場合は、情報源として印刷物の参考資料のほか、図書や雑誌を直接参照したり、あるいは人に聞いたりする必要もあるでしょう。

　各種の情報源に関する知識があると、より効率的に情報を探せるようになります。そのためにはデータベースの分野や期間などの収録範囲や、入力や絞り込みの方法など検索システムの使い方についても確認しておくようにしましょう。残念ながら、各種の情報源の使い方は統一されていないのです。参考図書ならば凡例を、検索システムならばヘルプやマニュアルをよく見て、それぞれの使用方法に合わせて使うようにしてください。

選んだ情報が適切か評価する

　探していた情報が見つかったら、一呼吸置いてその情報が適切かどうか検索結果の評価をしましょう。評価といっても合格不合格を判定するわけ

ではありません。情報要求に合っているかどうかをいくつかの観点から検討しようということです。内容は合っていても利用するには適切でない可能性があります。

　例えば、詳細に情報が載っていても長い間更新されていないうちに情報が古くなり過ぎていたり、今となっては事実と相違していたりするかもしれません。Webページの場合は特にこの傾向がありますが、図書や雑誌などの印刷物でも同じことがいえます。

　もっとも、古いからといって直ちにそれが不適切とはいえません。古い地図や旅行案内が当時を知る貴重な資料になることもあり得ます。どういう情報を欲しいかによってその情報の評価は変わってきます。

　そのほか、情報を求めている人にとってその情報が適切かを判断するには、難易度や詳細さ、分量、図表や画像の有無、入手しやすさなども考慮する必要があります。せっかくよさそうな情報が見つかっても、難しすぎたり外国語で書かれていたりして、読解できないこともあるでしょう。より詳細な情報を利用するために会員登録や料金の支払いが必要になるかもしれません。これらの点についても、各人の置かれた状況や能力によって異なってきます。情報の評価については、次に述べる「情報の信憑性」も併せて判断してください。

情報の信憑性を確かめる

　情報とは、誰かが何かの意図をもって発信するものですから、ある主張を通すために偏ったデータや事実とは異なることを広めようとしている可能性もあります。もっともらしい文章でいかにも正しそうに見えて、何らかの情報操作を企んでいるかもしれません。

　情報を利用する時には、情報の出どころを確認すること、複数の情報源にあたって比較してみることが重要です。そして、その情報の発信者や発信機関が信頼できるかどうか、どのような意図で発信しているのかを確認する必要があります。

　Webページで最近問題になっているのは、意図して事実を曲げているフェイクニュースサイトや、あちこちのサイトから関連する記述の部分を集めて構成されているまとめサイトと呼ばれるものです。どちらも世の中で話題になっているトピックに扇動的な見出しをつけて、閲覧数を増やすことで広告収入につなげようとする手法が横行しています。もっとも、まとめサイトの中には情報がコンパクトにまとまっている有用なサイトも存在しますので、見きわめが大切です。

　悪意がなくても事実誤認のある情報が出回り、さらに善意で伝言ゲームのように拡散する場合もあります。例えばエイプリルフールになると個人だけでなく企業も冗談のニュースを発表したりしますし、パロディで作られたサイトもありますので、それらを真に受けてしまうと大変なことになるかもしれません。

　FacebookのようなSNS（Social Networking Service）の普及により、誰でも簡単に情報が発信できるようになり、情報が広まっていくスピードは加速しました。また、リンクされるだけでなく簡単に複製も作れるので、元のページが削除されてもいつまでもWeb上に残って参照され続ける可能性があります。

　ある情報が妥当かどうかを判断するには、日頃からWeb上の情報だけに頼らずにさまざまな媒体の情報に触れて、見極める力を涵養することも大切です。

幅広く、柔軟に探す

　時々、検索を繰り返すほどに深みにはまってしまい、かえって目的の情報から遠ざかっている人を見かけます。すぐに諦めてしまうのも困りものですが、わき目もふらず突き進むものよくありません。何度検索しても見つからないと思う時は、少し手を止めて別の視点から眺めてみましょう。

　もしかしたら検索語の漢字やスペルがちょっと違っていたとか、雑誌記事を探すのに新聞記事データベースを検索していたとか、目的の情報が含

まれているのに該当箇所ではないところばかり見ていたとか、思い込みや勘違いをしたままでいたのかもしれません。また、見つからないと思うとどんどん検索語を加えたりしていませんか。一度に検索語を入力しすぎると、条件が厳しくなってなおさら見つかりにくくなります。ここはひとつ落ち着いてゆるやかに取り組むことにしましょう。

　また、データベースやWeb上にない情報はたくさん存在します。コンピュータでの情報検索にこだわらずに印刷物の情報源に当たってみたり、そのことを知っていそうな人に聞いたりするのもいいでしょう。人に話すと頭の中が整理されるので、自分が何を調べたかったのかはっきりし、いいアイディアが浮かぶかもしれません。図書館に行ってみるのもお勧めします。図書館員が質問に答えてくれる**レファレンスサービス**もあります。専門家ならではの知識と技能を発揮してくれることでしょう。

　何か疑問が生まれた時に、安易に検索に頼らずあれこれ自分で考えるのも大切ですし、一人合点せず誰かに聞くのも有益です。しかし検索して不明点が解決し、情報を得てさらに先に進めるというのは快感でもあります。時には「こんなことまで調べられるのか」と感心することもあるでしょう。ぜひ本書で情報検索の基礎をしっかり押さえて、気軽に実践し、未知との遭遇を楽しんでください。

まとめ

- ・情報検索は楽しい
- ・検索の筋道を立てる
- ・自分が何を調べたいのかはっきりさせる
- ・適切な検索語や情報源を選ぶ
- ・選んだ情報の適切性や信憑性を評価する
- ・幅広く柔軟に探す

2 データベースと検索の仕組み

　情報検索が、蓄積した情報を抽出することであるということを学びました。この章では、データの蓄積に使われるデータベースの基本と、必要な情報を適切に抽出するためのテクニックについて学習します。

データベースの仕組み

　さまざまな情報・データを蓄積し一元管理するのが**データベース**です。図書館の蔵書目録もデータベースの一種です。データベースの仕組みにはさまざまなものがありますが、リレーショナル型データベース（関係データベース）がよく用いられています。リレーショナル型データベースは以下のようなものになります（図1-2-1）。

　ここで、表全体のことを**テーブル**、横の行を**レコード**、縦の列を**フィールド**やカラム、属性などと呼びます。そして、複数のテーブルがつながって、1つのデータベースが構成されることになります。

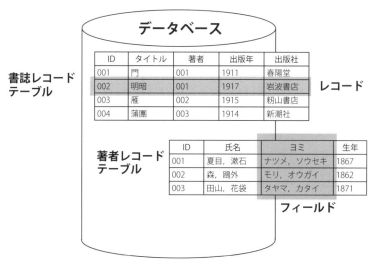

図1-2-1　リレーショナル型データベースの例

　ここで、書誌レコードと一緒に著者に関する情報も表示させたい場合は、結合（JOIN）の処理を行います。図1-2-1の書誌レコードテーブルの著者の部分には個別の著者の名前ではなくIDが記録されています。そのIDの情報を使って別のテーブル（この場合は著者レコードテーブル）の情報を呼び出して１つの表のように表示するのが結合です。

　もし、著者レコードも書誌レコードも大きな一つのテーブルの中で表現しようとすると、一人の著者の情報に変更があった場合、その著者が関連するレコード全てに対して変更を加える必要がでてきます。一方、著者レコード用と書誌レコード用とにテーブルを分けておくと、一人の著者に関する情報は著者レコードテーブルの1レコードだけに格納されますので、その一箇所だけを変更すれば済みます。

　２つのテーブルをIDで結合して必要な情報を表示するようにしておけば、著者レコードの変更を関連する書誌レコードにも反映させることができます。このように一見、リレーショナル型データベースは複雑ですが、効率的にデータを蓄積・管理できるようになっています。図書のデータベースを考えた場合、蔵書目録全体が１つのデータベースで、資料の情報を記録しておくテーブルや貸出情報を記録しておくテーブルなどから構成されます。資料の情報を記録しておくテーブルでは、１冊１冊の図書がレコードにあたり、図書のタイトルや著者、出版社^注、出版年などがフィールドになります。

論理演算子と検索式

　複雑な検索を実行したい場合に、検索語同士を組み合わせる際には、**論理演算子**を利用します。情報検索では、ブール演算と呼ばれる仕組みが使われています。ブール演算では、**AND**と**OR**、そして**NOT**の３つの演算子

注：図書館で目録用のレコードを作る際に使われる目録規則では、出版を営む個人等を含めるために「出版者」という語を使いますが、本書では一般的にイメージをもちやすい語として「出版社」を用いています。

によって語（条件）の関係を表現します。

　表1-2-1にブール演算の例を示しました。ANDは**論理積**と呼ばれ、AとB両方の条件を満たしたものだけが検索されます。複数の条件を満たしているものだけが抽出されるので、検索結果は少なくなり、より正確になります。

表1-2-1　ブール演算の例

条件の組合せ	意味	例
A AND B	AとBの両方を含む	情報検索 AND 教科書 （情報検索の教科書）
A OR B	AかBのどちらかを含む	公共図書館 OR 公立図書館 （公共図書館か公立図書館）
A NOT B	Aを含みBを含まない	社会教育施設 NOT 図書館 （図書館以外の社会教育施設）

　ORは、**論理和**と呼ばれ、AかBのどちらかの条件を満たすものが抽出されます。条件のいずれか１つを満たしていれば抽出されますので、検索結果は多くなります。普段の言葉づかいとは異なり、両方を満たす場合も抽出されるので注意が必要です。

　NOTは、**論理差**と呼ばれ、前の条件は満たすが、後ろの条件は満たさないものが抽出されます。例えば、伝説の生物である「巨人」について調べる際に、野球に関する情報を除外する時などにNOT検索を利用します。

　３つ以上の条件を組み合わせる場合には、論理演算の順番についても考慮する必要があります。論理演算の優先順位は、数学と同様に、掛け算（論理積）が優先され、足し算（論理和）は後回しになります。

　「京都か奈良の名所」を探すことを例に考えてみましょう。この検索質問に対して、「京都」「奈良」「名所」という語を以下のように組み合わせたとします。

　　京都 OR 奈良 AND 名所

　実際に検索してみると、期待通りの結果にはならないはずです。この場合、ANDの部分が優先され、「奈良の名所か京都」に関する情報が検索されてしまいます。

　そこで、期待通りの検索結果を得るためには、**括弧（　）**を使うことで論理演算の優先順位を変更します。本来の狙い通りの検索をしたい場合は、「京都か奈良」と「名所」を組み合わせる必要があります。以下のように括弧を使うことで、狙い通りの検索が可能になります。

　　（京都 OR 奈良）AND 名所

　検索質問をシステムが解釈できる形にしたものを**検索式（クエリ）**と呼びます。検索式は、検索語と論理演算子の組み合わせからなります。

　ベン図によって、論理演算の仕組みを視覚的に理解することができます。1つの条件だけのベン図を示しました（図1-2-2）。

　ここで、円の中に部分がある条件（条件A）に合致する集合を示します。わかりやすくするため、条件に合致する部分は灰色に塗りつぶすことにします。円の外側の部分が条件Aに合致しない集合（NOT条件A）になります。そして、条件AとNOT条件Aをあわせた長方形全体がデータベース全体になります。

図1-2-2　ベン図

　たとえば、タイトルに「情報検索」という語を含むという条件で蔵書データベースを検索した場合、本書のように「情報検索」という言葉をタイトルに含んだレコードが円の内側になり、「情報検索」という語を含まないレコードはすべて円の外側になります。

　次に条件の組み合わせについて見てみましょう。はじめに、ANDにつ

いて見てみます。ANDは、条件Aと条件Bの両方を満たすものになりますので、下図のように2つの円が重なる灰色の部分がA AND Bに該当する部分になります。条件A・条件Bのそれぞれで検索する場合に比べて、色が塗られる場所が小さくなりますので、検索結果は絞り込まれます（図1-2-3）。

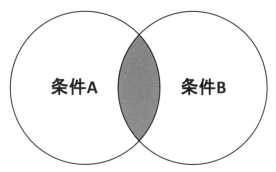

図1-2-3　A AND Bのベン図

　次にORをベン図で表してみましょう。ORの場合は、条件Aと条件Bの両方の部分が灰色になります。ANDとは違いそれぞれで検索する場合に比べて、色が塗られる範囲が広くなりますので、検索結果が増えることになります。たとえば同義語などを使って網羅的な検索を行なう際には、複数の条件をORで組み合わせるのがいいでしょう（図1-2-4）。

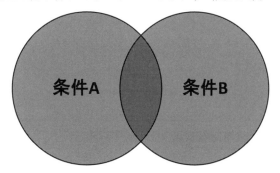

図1-2-4　A OR Bのベン図

　ANDとORの場合は、A AND BとB AND Aのように順番を入れ替えても抽出される集合に違いはないことがわかります。

　次にNOTを使った組み合わせのベン図を示しました。NOT検索では、条件Bと重なる部分が除外されることになります。NOTの場合も、検索結果は絞り込まれます（図1-2-5）。

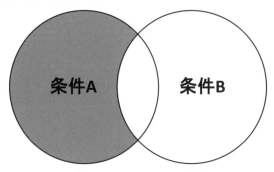

図1-2-5　A NOT Bのベン図

　それでは、順番を入れ替えたB NOT Aについて考えてみましょう。ベン図は以下になります。見ての通り、A NOT Bとは異なるベン図になりました。AND検索やOR検索と異なり、NOT検索の場合は、条件の順番が結果に影響することに注意が必要です（図1-2-6）。

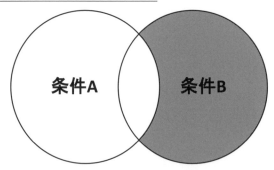

図1-2-6　B NOT Aのベン図

　3つ以上の条件を組み合わせたベン図を書くこともできます。3つの場合もこれまでと同様に、AND検索では重なる部分、OR検索では2つの条件の全体を塗りつぶします（図1-2-7）。

　図1-2-7のベン図がどのような論理演算を表しているか、わかったでしょうか。答えは、A AND（B OR C）です。その他のパターンについても、

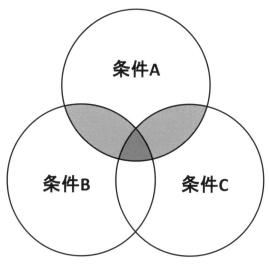

図1-2-7　3条件のベン図

ベン図を書いてみましょう。なお、ベン図では、4以上の条件を組み合わせることもできますが、あまりにも複雑になるため本書では扱いません。

　論理演算子の使い方は、それぞれのシステムで異なる場合があります。例えば、「奈良　名所」のようにスペースで2つの語を区切った場合にはAND検索と解釈されることが一般的です。しかし、時にはそれをOR検索と解釈するシステムも存在します。検索してみて期待通りの結果が得られなかった場合には、検索システムのヘルプやマニュアルを参照して、システムに合った検索式の立て方を確認してみましょう。

自由語と統制語

　ある概念を正確に言葉で表現することは難しいです。図書館の蔵書検索システムを使って「ライティング」という言葉で検索してみましょう。結果を見ると、文章を書くことに関するライティング（writing）と、カメラなどの照明に関するライティング（lighting）がまとめて検索されてしまいます。また、writingについて検索したい場合には、ライティングの他にも、書き方や文章術といった同義があります。lightingにも照明、点

灯や点火など別の表現もあります。つまり、ここでは、同じ単語が異なる意味をもつ多義語の問題と、1つの概念が複数の文字列によって表現できる同義語の問題があります。

　図書館やデータベースでは、このような問題に対して、概念と語を一対一で対応付けようとする試みを行なってきました。それを、**典拠コントロール**といいます。

　ライティングを例に考えると、writingを扱った図書の場合、タイトルに現れるのが「ライティング」でも「書き方」でも「文章術」でも、索引作成者が図書の内容を吟味した上で「ライティング（文章)」というラベルを付与します。同様に、lightingを扱った図書の場合でも、タイトルなどにどのような言葉が使われていても内容的にlightingを扱っている場合は、ラベルとして「撮影照明」が付与されます。

　このように内容を吟味した上でラベルの付与に使われる語を用意し、索引作成者も検索者も同じ語を使う必要があります。このように検索の際に使うと決められた語を**統制語**と呼び、統制語をまとめたものを**統制語彙**と呼びます。統制語彙として、図書館では件名標目表、専門性の高いデータベースでは**シソーラス**と呼ばれる統制語彙が作成されています。統制語に対して、使い方を決められていない、日常生活で使う語のことを**自由語（自然語)**といいます。

　国立国会図書館の件名標目表である『**国立国会図書館件名標目表**』（National Diet Library Subject Headings：NDLSH）では、書き方に関するライティングは「論文作法」という言葉を使うことが決められています。「レポートライティング」などの同じ概念を表すほかの表現は別名、つまり統制語を探すためにリストアップされた語になっています（図1-2-8)。同様に、撮影のための照明に関するライティングでは、「ライティング（撮影)」が統制語になっています。これらの統制語を活用することによって、自由語での検索に比べて、正確で網羅的な検索が可能になります。

ID	00569683
典拠種別 skos:inScheme	普通件名
標目 xl:prefLabel	ロンブン サクホウ 論 文 作 法
別名（を見よ参照） xl:altLabel	レポートライティング; リポートライティング; Report writing
上位語 skos:broader	作文
関連語 skos:related	学位論文

図1-2-8 典拠レコードの例（Web NDL Authoritiesより）

　一方で、統制語にも弱点があります。その言葉が一般的に使われるようになってから、統制語として採用されるまでには一定の時間がかかります。そのため、新しい語は統制語彙に収録されていない場合があるので、注意が必要です。目当ての語が統制語彙に収録されていない場合は、自由語による検索を行なうなど使い分けが必要です。

　また、人物に対しても典拠コントロールがなされます。例えば、同一人物の異表記（例：澤村明と沢村明）や別名（例：栗本薫と中島梓と今岡純代）をまとめるためと、同姓同名の別人（文学者の高橋和巳と精神科医の高橋和巳）を区別するためです。人物に対する典拠コントロールのことを**著者名典拠**といいます。

検索語のさまざまな表現方法

　慣用句や既知のタイトルなどを使って検索するような場合には、検索語の順番をそのまま検索したいことがあります。しかし、論理演算子を使って複数の語を組み合わせた場合は、語の位置や順番までは指定することができません。

　語順をそのままに一連の語句を一語のように検索する方法を、**フレーズ検索**と呼びます。多くの検索システムでは、文字列を" "（ダブルクォーテーション）でくくることでフレーズ検索になります。

　例えば、「教科書の歴史」について検索したい時、「教科書 AND 歴史」
で検索すると、「歴史教科書」に関する情報も検索されてしまいます。そ
こでフレーズ検索を使って"教科書の歴史"で検索すれば、歴史教科書に
ついての情報が含まれることはなくなります。

　また、ANDやORのような論理演算子として使われる語を含む検索を行
なう際にも、フレーズ検索にすることで、論理演算子として解釈されるの
を避けることができます。

　英語では、語尾や綴りそのものが変化することがあります。例えば、
単数形と複数形のcityとcitiesやmanとmen、時制の活用のcopyとcopiedや
takeとtookのような場合です。これらの変化に対して、考えられるすべて
の候補をOR検索することは現実的ではありません。

　そこで、一致する箇所を指定する以外の箇所には、何らかの文字や文字
列が入ってもいいという形で検索語を表現する方法があります。

　変化してもいい箇所や、何らかの文字あるいは文字列が入りうることを
示す箇所は、ワイルドカードと呼ばれる文字に置き換えて表現します。こ
のようにワイルドカードを用いて、検索語を部分的に指定する検索が**トラ
ンケーション**（部分一致）です。ワイルドカードの文字はそれぞれのシス
テムで異なりますが、「＊（アスタリスク）」や「？」が一般的です。以下
に一致させる箇所別でのトランケーションの方法とヒットする語の例をま
とめました（表1-2-2）。

表1-2-2　トランケーションの例

種類	表現方法	ヒットする語の例
前方一致	図書館＊	図書館、図書館員、図書館学
後方一致	＊図書館	図書館、公共図書館、私立図書館
中間一致	＊図書館＊	図書館、学校図書館法
両端一致	国立＊館	国立国会図書館、国立公文書館

　普段私たちが行なっている検索は、検索語が対象となる文字列のどこに含まれていてもいい中間一致での検索になります。そのため、例えば短い語で検索した場合には、前後に別の語がついてしまう場合があります。そういった問題を避けるためには**完全一致**で検索する必要があります。

　例えば『民法』というタイトルの図書を探したい時などには完全一致による検索が有効です。完全一致で検索すると、有斐閣の『民法』や勁草書房の『民法』などは検索されますが、『18歳からはじめる民法』や『民法改正で変わる住宅トラブルへの対応』は検索されません。

　このように検索語にはいろいろな表現方法があります。的確な検索ができるように、検索の機能を知り、検索語の上手な表現方法を身につけましょう。これらの表現方法は、システムによって対応していない場合や指定の方法が異なる場合があります。使用の際には、システムのマニュアルやヘルプを確認しましょう。

フィールドごとの検索

　サーチエンジンが1つの検索ボックスのみのシンプルな画面構成で広く使われるようになったことから、最近ではほかの種類の検索システムでも、最初にアクセスした画面には1つの検索ボックスだけを表示し、検索語がレコード中のどこでもマッチすれば検索できる方式をとることが多くなっています。そのような方式を**簡易検索**といいます。簡易検索は、情報要求がはっきりしていない場合には有効ですが、明確な場合には余分な検索結果が含まれてしまい、かえって不便なこともあります。

　そこで、正確で網羅的な検索のためには、データベースを作成する際に用意された**フィールド**を指定した検索も大事です。例えば「夏目漱石」に関する文献を探す際には、簡易検索では夏目漱石が書いた文献も検索されてしまいますが、＜タイトル＞や＜件名＞に夏目漱石を含む検索をすれば、そのような余計な検索結果を省くことができます。フィールドを指定した検索のことを**詳細検索**と呼びます。無駄のない効率的な検索のために

は、詳細検索を使いこなすことが肝要です。

まとめ
・論理演算子を使って、検索質問を上手に検索式に変換する
・統制語を使うと、正確で網羅的な検索が可能になる
・検索語のさまざまな表現方法を身につけ、的確な検索を行なう
・詳細検索を使いこなして、効率的な検索を目指す

---

3 データベースには得意分野がある
ありそうなところを探す

　前節で、データベースと検索の仕組みについて学びました。次は情報検索の種類とデータベースの種別について順を追って解説していきましょう。

　世の中には、得意分野がそれぞれ違うたくさんのデータベースがあり、収録対象や収録期間も異なります。例えば、文献を調べるのか事実やデータを調べるのかによって、使用するデータベースは変わります。調べようとする事柄とそれらが食い違えば、一生懸命検索しても十分な検索結果が得られないかもしれません。効率よく情報を探すにはありそうなところを探すのが大事です。

　また、データベースによっては、契約が必要だったり使用に制限がかかったりする場合もあります。適切なデータベースを選択するには、特性や使用条件を知っておく必要もあります。

情報検索の種類

　では、個別のデータベースではなく情報検索の種類について、何をどう探すかという検索対象によって分けてみましょう。図1-3-1のようにまず大きく**事実検索**か**文献検索**かという分け方ができます。

　事実検索は、実際の出来事などについての事実やデータを調べることをいいます。例えば、「世界一高いビルの高さ」や「芥川賞の歴代の受賞作は何か」などを調べる場合です。最近は、こうした場合はサーチエンジンを使うことが増えてきました。事実を調べるために、その事柄が載っている文献の検索をすることもあります。

　文献検索は文献そのものを調べる場合です。ある事柄に関してその文献の存在を知っている場合は、その文献のタイトルや著者名などで探す**書誌事項検索**が一般的です。すでに書誌事項の一部を知っているので、**既知事**

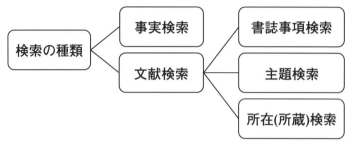

図1-3-1　情報検索の種類

項検索ともいいます。そうでない場合は、ある事柄をテーマ（主題）とする文献を広く探して、その中から絞り込んでいく**主題検索**を行なうことになります。

　文献を入手する際は、書店で購入したり図書館を利用したりしますが、その文献がどこで入手できるのかを調べることを**所在（所蔵）検索**といいます。文献は、印刷物だけでなく電子書籍や電子ジャーナルのような電子メディアも含んでいるので、入手する方法も多岐にわたります。

　次に、実際にどのようなデータベースが適切かを見ていきましょう。

事実検索

　事実やデータを探すためのデータベースを事実（ファクト）データベースと呼びます。事実検索は、事実のほか、数値や画像などのデータを対象にしています。

　各種の統計情報を集めた統計データベースや、どんな特許があるのかを調べられる特許データベースは、事実データベースに分類されます。日常生活でよく使われる電車の乗り換え案内も事実検索に含まれます。これらの情報は、サーチエンジンでも大まかに調べられますが、専門のデータベースに直接あたった方が、より早く正確に調べられるでしょう。

　サーチエンジンにも、動画・画像・地図・ニュース・ショッピング・書籍など、特定の対象に絞った検索があります。それぞれの検索はさらに設

定やオプションを細かく指定できるので、目的によって使い分けると効果
的です。

文献検索

　文献を探す時に用いる文献データベースは、文献の種類によっていくつ
かに分類されます。大きく分けて、図書館の蔵書目録である**OPAC**のよう
に図書や雑誌を調べるデータベースと、**記事索引**を使って雑誌記事や新聞
記事などを調べるデータベースがあります。文献の種類によって、書誌事
項の項目が少しずつ異なることにも注意する必要があります。

　例えば、図書館である雑誌記事を読みたいと思ってOPACに記事のタイ
トルを入力したのに、まったく見つけられなかったことはありませんか。
一般的なOPACは、図書や雑誌の所蔵を検索するために用いるので、記事
そのものを見つけることはできません。

　国立国会図書館の**国立国会図書館サーチ**(通称**NDLサーチ**)のように、図
書や雑誌、雑誌記事をまとめて調べられるデータベースもありますが、目
的の資料種別がはっきりわかっている場合は、種別に分けて検索した方が
効率的です。では、それぞれどのような検索方法があるか見ていきましょう。

書誌事項検索

　図書は、著者・タイトル・出版年・出版社など、雑誌は、雑誌タイトル・
出版社などの書誌事項の組み合わせで検索します。検索にあたってはすべ
ての書誌事項を把握しておく必要はなく、タイトルや著者名の一部分でも
検索できます。著者名が判明しているがタイトルが不明というような場合
にも、書誌事項検索によって不明部分を補うこともできます。

1）図書や雑誌を調べる場合

　図書や雑誌を実際に入手することを考えると、いくつかの場面が想定で
きます。図書館を利用する場合は、OPACを検索するのが一般的です。特

に国立国会図書館オンライン（通称 NDL ONLINE）は、**納本制度**によって日本での出版物がすべて収められることになっており、国内の出版全体を調べられるOPACということができます。そのほかに地域の公共図書館のOPACや大学図書館等のOPACがあります。

　購入も視野にいれるならば、オンライン書店サイトの検索機能や書店の店頭にある検索機を使うことになります。新刊を知りたい場合は、これらを利用した方が早いでしょう。**Googleブックス**は、**横断検索**で複数のオンライン書店の在庫をまとめて調べられます。また、電子書籍版があれば購入することもできます。

　最近では、オンライン書店と連動しているOPACも増えています。これらのOPACは、画面上で表紙の画像（**書影**）を確かめられたり、その図書を商品として扱っているオンライン書店のページへのリンクをたどって実際に購入したりできます。

2) 雑誌記事を調べる場合

　学術雑誌に掲載された論文や一般的な雑誌記事をまとめて**雑誌記事**と呼びます。雑誌記事を探すには、**記事索引データベース**でその記事の著者名や掲載誌のタイトルや号などの書誌事項を確認した上で、その雑誌や雑誌記事がどこにあるかを探すことになります。

　従来は、書誌事項の検索が主でしたが、近年は記事も含んだデータベースとして、記事索引検索の結果から直接本文にアクセスできる**全文データベース**や**電子ジャーナル**が増えてきました。電子ジャーナルというと主に学術雑誌を指しますが、電子雑誌として発行される一般雑誌も広まってきています。

3) 新聞記事を調べる場合

　新聞記事は、大手新聞社などが運営する有料の新聞記事データベースのほか、新聞社の無料Webサイトでも読むことができます。ただし、有料

の新聞記事データベースに比べると、収録期間が短かったり短期間に内容が次々と更新されたり、長期の参照には不向きな点があります。印刷物の新聞はページ（紙面）数や文字数に制限がありますが、Webサイトは容量が実質的に無制限なので、インタビューや演説の全文や動画など、新聞紙面には掲載しきれない情報を収録していることもあります。

主題検索

　検索対象となる書誌事項がわからない場合や、より広く主題について検索したい場合は、主題検索を行ないます。書誌事項検索のように、すでに書誌事項の一部が判明している場合の検索と違って、主題を表す検索語をうまく思いつけるかどうかが決め手になります。あらかじめ辞典などで類義語や同義語を調べたりする**事前検索**をするといいでしょう。

　また、分類や件名、シソーラスなどの統制語を使って主題を指定する方法もあります。主題検索の結果から該当する文献の書誌事項を確認して、所在検索に移行します。

所在（所蔵）検索

　実際に文献を入手するためには、その文献がどこにあるかを調べる必要があります。図書館の蔵書を調べる場合には「所蔵検索」ともいいます。図書館を利用する場合は、まずは自分がよく使う図書館のOPACを使います。その図書館に所蔵がなければ、他の図書館の所蔵を調べることになります。複数の図書館のOPACをまとめて検索できる**CiNii Books**などの**総合目録**や、横断検索ができるOPACも利用できます。

　最近は、図書館の蔵書と書店の在庫を統合的に検索できるサイトが増えてきました。例えば、全国7,200以上の図書館のOPACを横断検索できる**カーリル**は、目的の図書が図書館の蔵書にない場合は、オンライン書店のサイトで書籍の情報を見つけられるようになっています。あるいは、オンライン書店サイトで新刊の書誌情報を得てから、図書館のOPACで検索す

るという使い方もできるでしょう。

全文検索

　コンピュータの処理能力向上に伴い、文献そのものの内容情報を調べられる**全文検索**が増えています。全文検索については、1）本文中の語と検索語の合致により検索するものと、2）書誌事項検索の検索結果として本文全文を入手できる全文データベースの、2通りの解釈があります。

　理想は本文中の語で検索できて、さらに全文を入手できることですが、そうでない場合が多々あります。新聞や雑誌の記事、判例や特許などは、個々の文章量が比較的少ないため、全文を入手する可能性は高くなります。一方、図書の場合は全体の文章量もページ数も多いので、全文入手は難しくなります。例えば、Googleブックスは文中の内容で検索できますが、該当箇所周辺が表示されるだけで全文が見られるとは限りません。全文を読むには、電子書籍版や印刷版を購入する必要が出てきます。

　このように、技術的には全文の検索や入手が可能でも、実際に読むには契約や料金の支払いで制限がかかるものがあります。雑誌記事索引データベースの**CiNii Articles**（現在はCiNii Research）のように、文中の語では検索できなくても全文へのリンクがあるものもあります。また、学術情報に特化したサーチエンジンである**Google Scholar**では、本文の検索と入手が技術的に可能です。しかし、実際に全文を入手できるかどうかは、情報の提供の程度や個々の契約状況によって異なります。

　Web上の新聞や雑誌の記事についても同様で、要約や冒頭部分だけ無料で閲覧可能であり、全文入手や特定機能の利用には料金が発生するものがあります。

検索機能別に見た情報検索の種類

　情報検索を第 I 章 2「データベースと検索の仕組み」で触れたような検索機能の観点で分類することもできます。まず、画面の構造などの**インタ**

フェースで、**詳細検索と簡易検索**に分けられます。詳細検索は、検索項目を個別に指定する複数の検索ボックスがあり、前述の論理演算子を含めて検索条件を細かく指定できます。簡易検索は検索ボックスが1つしかなく、検索項目にこだわらず幅広く検索できます。それ以外に、検索ボックスを3～4つ程度に限定した中間的なインタフェースもあります。

　次に、複数の検索語を論理演算子で組み合わせる時の設定のしかたです。通常、複数の検索語の間に空白を入れて区切ると、論理積のAND検索になりますが、論理積を表す記号が必要な場合もあります。さらに、AND検索以外にOR検索（論理和）やNOT検索（論理差）もできるのかという違いや、それぞれの論理演算子を空白や記号で表すのか画面上のメニューで指定するのかという違いもあります。

　また、検索語を選ぶ時に、**自由語**を用いるのか**統制語**を用いるのかという分け方もあります。思いついた語で検索する自由語検索は、書誌事項検索を行なう時には手軽で便利ですが、**検索ノイズ**や**検索漏れ**が生じやすくなります。**件名や分類**、シソーラスなどの主題を表す統制語を使える場合は、特に主題検索する時効果を発揮します。ただし、どんな統制語があるかを事前検索しておく必要があります。

　こうした機能は、各検索システムによってそれぞれ内容や使い方が異なっています。詳細は個々の検索システムのマニュアルやヘルプに載っていますので、検索システムを使う前に確認するようにしましょう。

データベースの使用条件に注意する

　選択したデータベースが適切であっても、そのデータベースが使えるかどうか、使える場合の条件についても注意を払う必要があります。まったく自由に使えるものもあれば、個人での利用者登録や有料契約が必要なもの、サイトライセンス制で所属機関内でのみ使用可能なものなど、使用条件がさまざまに違っています。

　データベースを使用する際にも注意が必要です。利用資格がないのに他

27

人のIDやパスワードを用いたり、利用資格がない人にデータを渡したりする行為は不正アクセスとなります。大量なデータのダウンロードも禁じられています。これらの禁止事項に抵触すると、その行為を行なった本人はもちろん、所属機関が団体で契約している場合は機関全体が契約違反とみなされる可能性があります。

まとめ
・データベースには得意分野がある
・適切なデータベースを選択する
・データベースの使用条件に注意する

4 サーチエンジンの使い方

Webの情報を探す

　本書を手に取った方で**サーチエンジン（検索エンジン）**を使ったことがない方は、ごくわずかでしょう。サーチエンジンは、**Webページを探す**ためのデータベースです。「パソコンで調べる」「スマホで検索する」「Webで探す」等々、表現は違えども、今や情報検索といえばサーチエンジンを使うことだと思っている人も少なくありません。最近では、音声入力による検索や、画像を指定する検索方法も広まってきました。

　サーチエンジンは、手軽にしかも無料で検索できます。思いついた言葉を検索語として1つか2つ入れるだけで、検索語と関連度の高いWebページから順に上位に表示されます。とはいえ、一度の検索でたくさんの検索結果がずらずらと並ぶので、目的の情報を見つけきれなかったり、つい検索語を追加しすぎたりした経験もあるかもしれません。

　この節ではWebページやサーチエンジンの仕組みと、効率的な検索方法について順次解説していきましょう。

Webページかホームページか？　Webページの呼び方

　さて、「自分はWebページではなくて、ホームページと呼んでいる」という方も多いかもしれません。この節でも、説明の都合や文脈によって「Webページ」と「Webサイト」という用語が混在します。また、Webページの名称に「ホームページ」が使われることもあります。

　大まかにいうとWebサイトはWebページの集合で、単にサイトともいいます。本来ホームページとは、ブラウザの起動時に最初に表示されるWebページや、Webサイト全体の入り口にあたるトップページを指しますが、WebページやWebサイト全体をホームページと呼ぶことが広まりました。ここでは、ほぼ同じものとして読み進めてください。

サーチエンジンの概要

　Webページの所在は、**URL**（Uniform Resource Locator）というインターネット上の住所で示されます。ホームページアドレスと呼ぶ方も多いでしょう。Webページを閲覧するには、URLをブラウザ（閲覧ソフト）のアドレスバーに入力して指定します。しかし、Webページの数が多いとURLを記録しておくのも入力するのも大変です。

　そこで、1990年代後半から、Webページの中身で探せるサーチエンジンが、各種開発されてきました。現在は、**Google**、**Yahoo! JAPAN**（以下、**Yahoo**）、そしてマイクロソフト社が提供しているMicrosoft Bingの3つが代表的です。

Google　　https://www.google.co.jp/

Yahoo! Japan　　https://www.yahoo.co.jp/

Microsoft Bing　　https://www.bing.com/

　ただし、2010年夏からGoogleはYahooにライセンス提供をしています[注1]。そのため、検索結果自体はほぼ同じですが、提供サービスに合わせて付加される情報があるなど、表示項目やレイアウトに若干の違いがあります。

　いずれのサーチエンジンも、検索する際はトップページの検索ボックスに検索語を入力します。詳細検索のオプションも用意されています。ブラウザのアドレスバーに検索語を入力しても検索できます。アドレスバーで使用するサーチエンジンは、ユーザの好みで設定できます。

注1: Google Japan Blog　https://japan.googleblog.com/2010/07/yahoo-japan.html （2020/09/01）

基本的な検索方法

　まずは、Googleを例にサーチエンジンの基本的な使い方を紹介しましょう。使用するブラウザは、Google社が提供している**Google Chrome**のPC用ブラウザとします。

【例題】日外アソシエーツの出版物を探したい

　検索ボックスに検索語を入力してEnterキーを押します。複数の検索語の場合、語の間をスペースで区切ると、基本的には論理積のAND検索になります。

＜キーワード＞＝「日外アソシエーツ 出版」

　この検索式で検索すると、図のような検索結果が表示されます（図1-4-1）。

図1-4-1　Google検索結果例

　それぞれのページタイトルやURLの下にページ内容の説明やテキストの抜粋部分が表示されます。これは**スニペット**と呼ばれ、検索語に該当する箇所は太字で強調されます。URLに続く▼マークをクリックすると、**キャッシュ**（cache）を選択できます。キャッシュは、数時間から数日前の過去時点でのWebページの内容を表示します。また、検索結果の上に

は該当件数と検索の所要時間が表示されて
います。スニペット（第Ⅳ章6）やキャッ
シュ（第Ⅳ章9）の活用については後述
することにしましょう。

＊サイトマップはそのサイト内
の項目が一覧できる索引のよう
なものです。通常トップページ
にリンクがあります。サイト内
検索は、トップページの上部の
目立つところに検索ボックスが
配置されています。

　上記の検索の場合は、サイト内のよく閲
覧される代表的な項目へのリンクや、写真
や地図とともに日外アソシエーツ社の概要
を表示する部分があります。ただし、検索条件によって表示される項目や
レイアウトは変わります。試しに、検索語を「出版」から「出版物」に変
更して、＜キーワード＞＝「日外アソシエーツ 出版物」として検索すると、
また違ったレイアウトになります。また、何を検索対象にしたかでも異な
り、対象によって検索結果の上部に広告が表示されることもあります。

　　もっとも、同時に複数の検索語を使う必要はありません。単に＜キー
ワード＞＝「日外アソシエーツ」として検索すれば同社のページが一番
上位に表示されますので、まず、そこにアクセスしてからサイト内検索や
サイトマップ＊で「出版」の項目を参照してもいいでしょう。

サーチエンジンの強み

　細かい検索設定の説明に移る前に、サーチエンジンならではの使い方を
少し紹介しておきましょう。サーチエンジンは、うろ覚えの言葉や文章中
の言い回しを丸ごと検索できるという強みがあります。ちょっとしたスペ
ルミスや表記の違いがあっても大丈夫です。

　例えば、＜キーワード＞＝「ヴァイオリン」で検索しても、「ヴァイオ
リン」と「バイオリン」の両方の検索結果を表示します。また、ロシアの
画家であるKandinskyについて、＜キーワード＞＝「カンジンスキイ」と
検索すると、一般的な表記の「カンディンスキー」の検索結果を表示しま
すが、あえて「元の検索キーワード」として「カンジンスキイ」を指定す
ることもできます。

　ほかにも、人気小説の『蜜蜂と遠雷』を探そうとして、うっかり＜キーワード＞＝「蜂蜜と遠雷」と入力しても、「蜜蜂と遠雷」が表示されます。検索語によっては「もしかして：」と、別の表記の検索語の候補を提示する場合もあります。

　また、全文検索の特徴を生かして、文章中の言い回しで丸ごと検索できます。例えば、よくわからない言葉について調べたい時に、その言葉のうしろに「とは」とつけて検索します。これは、説明文に「○○とは××のことです」や「○○とは××の略です」という表現が多いからです。「盛土」という言葉について調べたければ、＜キーワード＞＝「盛土とは」と検索してみましょう。

検索対象の絞り込み

　検索ボックスの下にある、「地図」や「ニュース」「画像」などの項目名をクリックすると、検索結果を検索対象ごとに切り替えて表示できます。「すべて」をクリックすると、全体の検索に戻ります。上記の例なら、「地図」を選択すれば日外アソシエーツ社の所在地周辺の地図、「画像」を選択すれば同社出版物の画像などが表示されます。Googleでは、「地図」はGoogleマップ、「ニュース」はGoogleニュースと連動しています。

　また、上記項目の並びにある「設定」と「ツール」で、さらに細かな限定ができます。「ツール」では検索結果の言語や期間指定など、「設定」では主に検索方法や回答方法について設定するメニューが表示されます。後で紹介する**検索オプション**と、履歴やヘルプもここから選択できます。

　ただし、絞り込みする項目に何が表示されて何が設定できるのかも、検索対象によって異なります。あちこち自分でクリックして確かめたり、ヘルプを参照したりして、いろいろ探ってみるといいでしょう。

Webページを表示する仕組み

　検索オプションを紹介する前に、Webページを表示する仕組みを解説

しておきます。検索オプションを効果的に活用できるでしょう。

　まず、URLの冒頭にも見かける**WWW**は、**World Wide Web**の略で、Webページを閲覧するためのサービスです。Webには蜘蛛の巣という意味もあり、世界中にはりめぐらされたインターネット上に、たくさんのWebページが存在し、リンクしているイメージです。

　Webページの住所であるURLを読み解いてみましょう。例えば、日外アソシエーツ社のURLは、以下のような構成になっています。

https://www.nichigai.co.jp/index.html

　冒頭の「https」は、スキーム名でWebとしての通信プロトコルを意味します。通信プロトコルはデータのやりとりの手順の方式で、いくつか種類があります。「https」がつくWebページは暗号化で保護されています。

　「://」に続く「www.nichigai.co.jp」は、**ホスト名**といいます。ホスト名に含まれる後半部分（この場合は「nichigai.co.jp」）は、Webサーバを識別するための**ドメイン名**です。たいていはそのWebサーバを使用している組織や機関の名称にちなんで名づけられています。ドメイン名はメールアドレスにも使われています。ホスト名とドメイン名は厳密には違うものですが、ここでは特に意識しなくでもいいでしょう。

　「index.html」はファイル名です。ファイル名の記述がない場合は、一般的にindex.htmlかindex.htmが指定されたとみなされます。つまり、

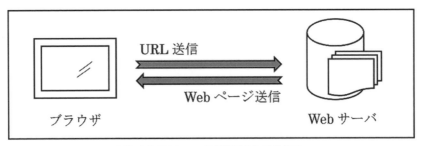

図1-4-2　Webページが表示される仕組み

https://www.nichigai.co.jp/とhttps://www.nichigai.co.jp/index.htmlは同じです。通常、index.htmlはトップページになりますが、最近はトップページがindex.html以外で自動生成されるWebサイトもあります。

　Webページの内容は、Webサーバに格納されています。ブラウザでWebページを見る時は、リンクをクリックするかアドレスバーでURLを指定すると、インターネットを経由して該当のWebサーバにWebページの送信要求が届きます。Webサーバがその送信要求に従ってWebページの情報を送り返すと、目の前のブラウザに表示されます。

　ドメイン名の末尾にある「co.jp」のうち、末尾の「jp」は**トップレベルドメイン**にあたり、通常は国を表します。英国を示す「uk」、フランスを示す「fr」などがあります。「co」部分は**セカンドレベルドメイン**にあたり、この場合は企業を指します。府省を示す「go」や、大学などを示す「ac」などがあります。

　トップレベルドメインとセカンドレベルドメインの組み合わせは、原則として、そのページの運営者がどの国のどのような組織に属するかを表します。このため、ドメイン名に含まれる名称と併せて、ある程度ページの運営者や記述内容の信憑性を判断する目安にもなります。

　もっとも、セカンドレベルドメインがなくトップレベルドメインのみのものもあります。米国では企業は「com」、府省は「gov」、大学などは「edu」で、例えば、大統領官邸は「https://www.whitehouse.gov/」になります。最近では日本語を使用したりセカンドレベルドメインを省いたりするものも増えているので、上記の判断の目安があてはまらない場合があります。

ロボット型サーチエンジン

　サーチエンジンは、検索のつどWebページにアクセスするのではなく、あらかじめ**クローラ**（crawler）とかロボットとか呼ばれるプログラムが、起点となるWebページからリンク情報をもとに次々とWebページを巡回

して情報を自動収集します。**ロボット型サーチエンジン**という言葉は、このプログラムをロボットとも呼ぶことによります。巡回して自動収集することをクロールといいます。

　収集したWebページの情報はサーチエンジンの内部に取り込んでおき、Webページ内に出現する語で高速に検索できるように索引がつけられます。本書にも巻末に索引がありますが、図書の索引は人間が重要度を判断して付けるのに対し、サーチエンジンは各索引語にあたる語が出現するページのURLを、自動的にほとんどすべて登録します。このため網羅的に検索できますが、検索ノイズも増えます。

　クローラの巡回頻度は、そのWebページの更新頻度や人気によって異なります。ニュースサイトのように頻繁に内容を更新するものは巡回頻度が高くなり、したがって索引作成の頻度も高くなります。クロール時点のページ内容は、前述のキャッシュとして公開されます。

ディレクトリ型サーチエンジン

　さて、ロボット型サーチエンジンとともに、**ディレクトリ型サーチエンジン**という言葉も聞いたことがあるかもしれません。自動収集するロボット型に対し、ディレクトリ型サーチエンジンは、人間が実際にWebページの内容を判断してカテゴリ別に登録します。このため信頼性のあるページが集まりますが、人手で登録して管理する方法はコストがかかるので下火になり、Yahoo! JAPANはかつてディレクトリ型の代表例でしたが、カテゴリ別のサービスは2018年に終了しました[注2]。

　さまざまなWebサービスを主題別に分類した「サービス一覧」は、大分類から小分類までクリックなどで選択していけるので、「人気の映画の上映館とスケジュール」や「今週末の山梨県の天気」のように、検索対象の分野や情報の種類がわかっている場合に向いています。

注2：「Yahoo!カテゴリ」サービス終了について
　　https://about.yahoo.co.jp/pr/release/2017/06/29a/　（2020/09/01）

サーチエンジンの限界

　ところで、世の中に存在するすべてのWebページのうちクローラが情報を取得しているものはごく一部にすぎません。例えば、リンク情報をたどって巡回する仕組みでは、起点となるWebページと何らかのつながりがあるページは巡回ルートに含まれますが、それ以外は、たとえお互いがリンクしあっていても、いつまでたってもクローラの情報収集の対象にならないからです。

　さらに、クローラが収集できないWebページもあります。クローラによる自動収集を拒否する設定をしていたり、パスワードで保護されていたりする場合、また検索結果のページのようにアクセスのたびにURLもWebページの内容も自動生成される**動的なWebページ**などがあります。これらの、通常のクローラによって収集されず検索できないページを**深層Web**といいます。それに対して、常に固定のURLでアクセスでき内容もある程度一定で変わらない、検索可能なWebページを**表層Web**といいます。

　ただし、サーチエンジンによって収集しているWebページの範囲は異なります。網羅的に情報を探すには複数のサーチエンジンを併用することが望ましいでしょう。

適合度順出力

　皆さんは、サーチエンジンの検索結果のリストをどのくらい下の方まで見ているでしょうか。サーチエンジンの特徴として、検索語との関連がより高いとシステムが判定する順にWebページを表示する**適合度順出力**があります。検索結果に膨大な数のWebページがヒットしても、たいていは上位の2〜3件をチェックすれば事足りるように思えますが、これらが本当に情報要求に合っているとは限りません。

　適合度順出力は、ページ内での検索語の出現数や出現箇所などに加えて、他のWebページからのリンク数の多さなども用いて算出されますが、

実際のところは企業秘密となっています。当然のことながら、サーチエンジンの側での順位操作は可能です。

　検索上位に表示されれば、それだけ人の目に触れて閲覧数も増えます。このため、ビジネス目的のWebページでは、検索順位を上げるために**SEO**（Search Engine Optimization : サーチエンジン最適化）という手段を取ることが多く、それを請け負うSEO業者は顧客のWebページの検索順位を上げるために日夜しのぎを削っています。また、検索結果と見まがうような関連広告が、目立つところに表示されることもあります。

　検索の際は、適合度順出力の上位だけでなく、ある程度検索順位が下位のページも目を通す必要があるでしょう。

検索オプション

　検索オプションは詳細検索で、検索対象の限定と絞り込みに役立ちます。検索結果の画面で「設定」をクリックして表示されるメニューから「検索オプション」を選択します。

　画面上部の「検索キーワードの設定」では、論理演算の他、「語順も含め完全に一致」と「数値の範囲」が指定できます。「語順も含め完全に一致」はフレーズ検索にあたり、言葉の順番を含め完全に一致するページを検索できます。助詞のひらがなを含む語句やスペースを含む英文などで探す際に有効です。「数値の範囲」では、例えば、ある製品の購入を検討する際に価格帯を数値範囲で指定する、といった使い方ができます。

　画面下部の「検索結果の絞り込み」では、「言語」「地域」「最終更新」「サイトまたはドメイン」「検索対象の範囲」「セーフサーチ」「ファイル形式」「ライセンス」で絞り込みできます。例えば、「サイトまたはドメイン」で、ドメイン名の一部である「go.jp」を指定すると府省のみのページを探せます。ドメイン名全体を指定するとサイト内検索とほぼ同様の結果になります。「ファイル形式」では、目的とする情報が含まれているファイル形式を指定できます。例えば、PDF、MS-Word、MS-Excelなど

のファイルを、それぞれ「pdf」「docx」「xlsx」のような拡張子で入力して指定します。

その他の検索オプションの各項目の説明や、さまざまな検索のヒントは、画面の下部にある「その他のオプション」や「ヘルプ」に載っています。また、活用法については第Ⅳ章も参考にしてください。

検索オプションで検索した後に検索ボックスを確認すると、「いずれかのキーワードを含む:」は「OR」、「サイトまたはドメイン」は「site:」などの記号が用いられているのがわかります。検索オプションに慣れてきたら記号を入力して指定してみましょう。

Yahooでは検索ボックス付近の「＋条件指定」というリンクで検索オプションと類似の設定ができます。

便利な検索機能

検索オプションよりも、さらに検索対象と目的を特定した便利な検索機能があります。以前は、「特殊検索」と呼ばれていました。例えば、「新宿から大森」のように出発地と目的地を指定すると、自動車、電車、徒歩でのルート検索ができます。検索ボックスに計算式を入力すると電卓機能が表示されます。株式コードを入力すると株価のデータ、宅配の伝票番号を入力するとその宅配物の追跡調査ができます。

詳しく知りたい場合は、＜キーワード＞＝「検索のヒント Google」として検索してみるといいでしょう。ドメイン名を「google.com」に設定すると、Googleの公式ページに限定できます。

情報の信憑性

Webページの内容は、玉石混淆と言われます。印刷物の図書や雑誌などは、ある程度信用のおける執筆者の原稿が編集者のチェックを経たのち出版されますが、Webページの場合は、第三者のチェックなしで誰でも自由に情報発信でき、情報の更新や削除、改変も容易です。

　確からしい情報を探すためには、誰が書いているか、執筆時期、更新頻度などを確認しましょう。いくら詳細に書いてあっても古すぎる記述は、現状と異なっている場合もあります。誤字や脱字がなく、信用できそうな文体でも、間違っていたり故意に事実を曲げていたりする可能性もあります。出典が明記されている場合は、できるだけ出典に遡って参照するようにしましょう。

　作成者や機関の信頼性の目安としては、ある人物や機関であればその公式サイト、府省や地方公共団体の公的サイト、マスコミのサイトなどにある情報は、ある程度信用していいでしょう。必要に応じて、複数の情報源と照らし合わせることも大事です。

高度な検索方法を知りたい場合の情報源

　サーチエンジンの機能は日々進化していますし、検索のコツを紹介するページもたくさんあります。ヘルプを参照したり＜キーワード＞＝「便利 Yahoo」と検索したりして、面白そうな検索法を見つけてみましょう。

まとめ
- 詳細検索や検索対象の絞り込みで、より正確な検索ができる
- 検索画面や結果表示画面のレイアウトは検索対象によって異なる
- Webページの信憑性に注意する

---

5 検索には戦略がある
敵を知って抜かりなく

検索戦略とは

　以前に比べると情報検索の操作は簡便になり、特にサーチエンジンは、思い立ったらすぐアクセスして検索をスタートできます。何かしらの検索語を入力すれば、関連のありそうな検索結果がたくさん表示されます。しかし、それらが本当に欲しい情報と合致しているとは限りません。

　孫子の兵法に「彼を知り、己を知れば百戦して危うからず」というのがあります。兵法というとちょっと大げさですが、検索にも戦略があります。手あたり次第に検索するのではなく、敵を知り、策を練り、抜かりなく検索することが、効率よく適切な情報の入手につながります。

検索目的の明確化

　検索を始める前に、調べたいテーマを決めて、どんな情報をどのぐらい知りたいのかを明確にします。

　例えば、「夏目漱石について知りたい」とします。夏目漱石について多

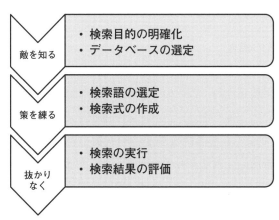

図1-5-1　検索戦略の流れ

面的に調べるならば、生没年や経歴、居住地について事実を調べる必要があるでしょう。文献を調べるにしても、夏目漱石の著作を読みたいのか、夏目漱石研究の文献を探しているのか、夏目漱石に関する最近の報道を知りたいのかによって検索の種類が分かれます。さらに、それぞれの事柄が記載されている情報を実際に入手するためには、文献の所在を調べる必要もあります。このように、調べる目的によって使用するデータベースや検索項目は異なってきます。

> ・**事実検索**：ある事柄の事実やデータ
> ・**書誌事項検索**：ある文献の書誌事項
> ・**主題検索**：あるテーマに関する文献
> ・**所在（所蔵）検索**：ある文献や資料の入手方法

　検索の範囲についても、かいつまんで概要を知りたいのか幅広く知りたいのか、より専門的な情報が欲しいのかなどを、あらかじめ決めておくといいでしょう。検索が進むにつれて、目の前の検索結果に影響されてしまい、当初調べたいと思っていたこととずれてくることもあります。何をどのくらい調べたいのかをメモにして、検索の途中で見直すようにしましょう。

データベースの選定

　次に、どのデータベースを使うのかを決めます。サーチエンジンを使うのか、図書館の所蔵を調べたいのか、雑誌や新聞の記事を探したいのかなど、調べたいことに適したデータベースを選択する必要があります。データベースだけでなく、参考図書などの印刷物やWeb上の情報源など、複数の情報源を検討し、適切なものを選ぶようにします。

　また、検索目的にぴったり合ったデータベースがあっても、契約や利用料の必要や何らかの制限があって利用できないこともあります。同じデータベースが複数の検索システムで提供されている場合もありますので、情

報の入手も含めて、経費も時間もかからない方法をとるようにしたいものです。

表1-5-1 データベースの選定

目的情報	図書、雑誌記事、新聞記事、Web上の情報
情報源の種類	OPAC、記事索引、サーチエンジン、各種データベース
言語	日本語、英語、英語以外の外国語
収録範囲	収録期間、対象年代、国内または国外
契約の有無	契約データベース、登録制サイト（無料・有料）

検索語の選定

　検索語は文章のままではなく単語に区切って使用します。数字や記号を用いることもあります。検索語はデータベース内容に合った言葉を選ぶようにします。学術的な情報を探す時には固い言葉、新聞記事を検索する場合は報道で使われていそうな言葉、というように検索語を使い分けるのもいいでしょう。

　例えば、「子ども」の言い換えで、「小児」「少年」「児童」などの**類義語**があります。教育関係ならば「児童」を多く使うでしょうし、場合によっては「小児」をさらに「乳児」や「幼児」に分ける必要もあるかもしれません。また、「内閣総理大臣」を「首相」と呼ぶこともあり、両者は**同義語**といえます。

　ところで、報道の見出しで国会のことを「永田町」と表現しているのを見たことはありませんか。国会議事堂の所在地である永田町にちなんでいて、「永田町の住人」と言えば実際の居住者ではなく、国会議員や国会関連で働く人々を意味します。これらは比喩の一種であるメトニミー（換喩）にあたります。ある検索語に対して、隣接性や近接性のある語で、網羅的に検索するには有効です。その他にも阪神タイガースを「虎」と呼称したり、歌舞伎役者を屋号で呼んだり、長い名称を略語にしたり、仲間内の愛称や隠語のようないわゆる集団語もあります。

　検索の際は、このような語の定義や同義語や類義語を把握しておくことも大事です。検索語に用いる言葉を**事前検索**しておくようにしましょう。必要に応じて専用の統制語辞書も調べるようにします。

検索式の作成

　検索語が用意できたら、それらをどのように組み合わせるかを決めます。現在の検索システムでは式の形で入力することはほぼありませんが、式の形で書き表しておくと、検索の考え方や概念の整理になります。

　検索式は ＜項目（フィールド）＞ ＝「検索語」のような形式にします。例えば、著者が「宮島輝」氏で、タイトルに「情報検索」を含む場合は以下のような検索式になります。

　　　　＜著者名＞＝「宮島輝」AND ＜タイトル＞＝「情報検索」

　実際のシステムの入力項目の名称と検索式の項目名が異なることもありますが、対応する意味が同じならば構いません。検索式の形になっていれば、検索語の入れ替えや増減が簡単にできます。

検索の実行

　いよいよ実際に検索を行ないます。初回の検索では情報要求に合う情報が見つからないかもしれません。検索結果が多すぎたり少なすぎたりすることもあるでしょう。

　望むような検索結果が出てこない場合は、すぐにやり直すのではなく検索結果によく目を通してから、条件を見直して検索条件を調整しましょう。検索結果の中から、より効果的な検索語や関連する情報が見つかって、それらを採用したり検索方針を立て直したりすることを**フィードバック**といいます。具体的には第Ⅳ章7「フィードバックの活用」で後述しますが、結果的に効率のよい検索につながる手法です。

　いずれにしても、パッと見た結果や件数に惑わされず、落ち着いて検索

するようにしましょう。

検索結果の評価

さて、情報収集に必要なのは、情報源や語彙についての知識や検索の手早さだけではありません。収集した情報を正しく判断したり分析したり、評価する力も求められます。検索結果が本当に情報要求に合っているかを、客観的に評価しましょう。

具体的には、検索結果の主題が検索目的と合っているか、件数や分量が多すぎたりしないか、適切な難易度かどうか、検索ノイズや検索漏れはないかなどがチェックポイントとしてあげられます（第Ⅳ章14「検索は何をもって成功なのか？」参照）。検索ノイズは比較的目につきやすいのですが、未知の情報の何が検索漏れになっているのかを見つけるのは困難です。複数のデータベースなどの検索結果を比較して、検索漏れがないかを確認するように心がけましょう。

検索結果を評価したところ、あまりいい情報が得られていないと判断した場合は、再度、検索語や検索条件の見直しを行ないます。そして、検索語を変えて追加検索をしたり、場合によっては別のデータベースや印刷物の情報源にもあたってみたりします。

精度と再現率

情報検索の評価には、**精度**（precision）と**再現率**（recall ratio）という観点があります。精度は、検索された件数のうち、どれだけの件数が当初の検索目的に適合した結果になっているかを計るものです。再現率は、データベースに含まれ、条件に適合する件数のうち、検索目的に適合した情報が、どれだけ結果に反映されたかを計ります。いわば網羅性を見るものです。

精度と再現率は、それぞれ下記の式で求められます。いずれも分子は「検索結果のうち条件に適合する件数」となります。両者の算出の際にデータベース全体の件数は関係ありません。

精度 ＝ 検索結果のうち条件に適合する件数 ／ 検索された件数

再現率 ＝ 検索結果のうち条件に適合する件数 ／ 条件に適合する全件数

　言い換えれば、精度と再現率は**検索ノイズと検索漏れ**の関係とも言えます。たとえたった１件でも適切な情報が欲しいという場合は、精度を重視した検索になりますが、関連度の低い情報を除くために検索条件が厳しくなるので、検索漏れが増えます。一方、関連度は低くてもいいから、できるだけ多くの情報を網羅的に調べたい場合は、検索条件がゆるくなるので検索ノイズが増えることになります。

　また、精度と再現率は、どちらかを高めようとすると他方が下がるトレードオフの関係にあります。精度と再現率のどちらを重視するかは、情報を求める人の立場や状況によって異なります。もっとも、正確な再現率を算出するためには、予め条件に適合する全件数を把握しておく必要があるので、大規模なデータベースにおいて再現率を算出することは現実的には不可能です。

検索条件の調整

　実際に、どのように検索条件を調整していけばいいのでしょうか。基本的に、条件を厳しくするためには、複数の検索語を論理積（AND）で掛け合わせ、条件をゆるめるためには、複数の検索語を使う場合は論理和（OR）でつなぐか単一の検索語のみを使用する方法をとります。検索漏れを防ぐために、ゆるやかな条件で検索した後、論理積や論理差（NOT）を用いて検索ノイズを除いていくといいでしょう。

　検索結果が０件や少なすぎる場合は、検索条件をよりゆるくします。具体的には、検索式中に含まれる概念や検索語を減らしたり、上位概念の存在する検索語は上位概念に置き換えたりします。統制語が使える検索システムでは統制語を利用します。

　上位語と下位語について、陸上競技のリレー走を例に説明しましょう

（図1-5-2）。例えば、「400メートルリレー走」で該当が少なすぎる場合は、語を減らして（または上位語の）「リレー走」とします。「陸上競技」は「リレー走」の上位概念でその他の種目も含み、条件はぐっとゆるくなります。

　あるいは、同義語や類義語を論理和で追加します。「リレー走」の場合は「継走」ともいうので「リレー走 OR 継走」のようにします。そのほか、簡易検索などを利用して検索項目のフィールド指定をしない、年代指定をしないなどの方法があります。

　反対に、検索結果が多すぎる場合は検索式をより厳しい条件にします。検索式中に含まれる概念や検索語を増やして、結合関係を強くします。例えば、陸上競技のリレーは「リレー」という語だけで検索すると電力機器のリレー（継電器）が検索ノイズとして含まれることがあります。その場合は、「リレー走」や「400メートルリレー」のように語を増やしたり、下位概念に置き換えたりします。統制語が使える検索システムでは統制語を利用します。

　そのほか、同義語や類義語を論理差で除く、詳細検索を利用して検索項目のフィールド指定をする、年代指定をするなどの方法があります。

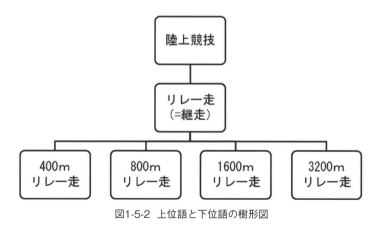

図1-5-2　上位語と下位語の樹形図

検索経過の把握

　ところで、検索を繰り返しているうちに、結果は出たがどうやって調べたのかさっぱりわからなくなった、という経験はありませんか。検索の経過はこまめに記録しておくようにしましょう。手書きのほか、画面コピーをとったり、Windowsの「メモ帳」などのテキストエディタに、画面上の記述をコピー・アンド・ペーストしたりするのもいいでしょう。検索の流れを見返したり、清書して報告したりする時に、活用できます。

　また、検索中に「今は何がわかって、どういう方向に進んでいるのか」を客観的に認識しておく必要があります。頭の中の「もう一人の自分」が、冷静に進み具合を把握するイメージです。検索の際は、どの時点にいるのかを常に確認して、迷子にならないようにしましょう。

> **まとめ**
> ・欲しい情報の範囲を明確にしてメモしておく
> ・事前検索やフィードバックを行なって、適切な検索語を採用する
> ・途中経過を記録し、方向性や進捗状況を冷静に把握する

PC Tip PC作業もスキルアップ！検索時間を短縮しよう！

a 右クリックは頼りになる

　PCでは、基本的にはメニューバーやツールバーで目的の操作を選択しますが、どこに何の操作があるのかを、いちいち覚えていられないという方も多いでしょう。そういう時に頼りになるのが、右クリックすると表示されるショートカットメニューです。右クリックは、マウスの右側のボタンか、ノートPCの場合はタッチパッドの近くにある右側のボタンを押します。

　例えば、コピー・アンド・ペーストの操作は、コピーしたい文字を選択して右クリックし、ショートカットメニューから「コピー」を選択します。さらに貼り付けたい先を選んで右クリックし、ショートカットメニューから「貼り付け」を選択します。MS-Wordなどでは、書式の形式に関する「貼り付けのオプション」も選べます。

　ショートカットメニューは、コンテキストメニューとも呼ばれ、マウスポインタ（矢印）を画面上のどこに合わせているかによって、コンテキスト（状況、文脈）に適した操作メニューが表示されます。目的の操作がどのメニューにあるのかを考えたり、メニューを何段階も選択したり、作業箇所からメニューバーに視線を移したりする必要がないので、ショートカット（近道）になります。

　アイコンや文字、ボタン、バーなど、それぞれの対象によって適用できる操作の一覧が表示されるので、画面上のあちこちを右クリックしてみましょう。一見、ショートカットメニューが用意されていなさそうな空白の部分でも表示されるかもしれません。日頃から意識してショートカットメニューを使うようにしていると、効率が上がり、自然とPCの操作も早くなっていきます。

PC Tip　PC作業もスキルアップ！検索時間を短縮しよう！

b　ショートカットキーを使いこなそう

　第Ⅳ章6「ないと思えば見つからない」でも紹介するように、ショートカットキーは、キー入力の組み合わせでPC操作ができる機能です。画面上のある部分を指定する時などはマウスを使う必要がありますが、キーボードから手を離さずに多くの操作ができるので、文字入力が多い情報検索作業を効率よく行なえます。ちょっと試してみましょう。

　例えば、Ctrl+Cはコピーの機能で、Ctrl（コントロールキー）を押しながらCを押します。アルファベットはキーボードの表面（キートップ）の文字を表します。検索結果を別の文書ファイルに貼り付ける時などに便利なコピー・アンド・ペーストという操作の場合、コピーしたい部分を指定してCtrl+Cを押し、貼り付けたい先を指定してCtrl+Vを押します。コピー元として全部を選択する時は、Ctrl+Aを押します。また、データの貼り付け先のファイルでは、Ctrl+Sでこまめに上書き保存するようにしましょう。操作ミスをした時はCtrl+Zで元に戻せます。

　Enterキーも有用です。ページ内検索の機能では、検索ボックスに文字を指定したら、Enterキーを押すごとに該当の文字を探して行きます。実行ボタンをクリックする代わりにも使えます。

　ショートカットキーを紹介するWebページなどを参考に、少しずつ覚えていってみましょう。

表PC Tip-1　主なショートカットキー

機　　能	操作	機　　能	操作
コピー	Ctrl+C	ページ内検索	Ctrl+F
貼り付け（ペースト）	Ctrl+V	上書き保存	Ctrl+S
全選択	Ctrl+A	元に戻す	Ctrl+Z

PC作業もスキルアップ！検索時間を短縮しよう！

c　マウスはやっぱり便利

　ブラウザの使用時に便利なマウス操作例を、いくつか紹介しましょう。

ダブルクリック

　ある言葉（文字列）の上をダブルクリックすると、その文字と同じ文字種（漢字、ひらがな、カタカナ）単位で選択できます。トリプルクリックすると、その段落全体の選択になります。

　また、タイトルバー（ウィンドウ上部）の空白部分をダブルクリックすると「最大化」と「元のサイズに戻す」を切り替えることができます。

ドラッグ・アンド・ドロップ

　アイコンや文字列などにマウスポインタを合わせたら、そのままギュッと左ボタンを押したままにして、選択範囲をなぞるように指定したり、移動したりする操作がドラッグです。目的の箇所まで移動して左ボタンを離すとドロップの操作になります。

　例えば、Webページ中の検索語にしたい文字列をドラッグして、アドレスバーにドロップすると、検索語を入力し直さなくてもそのまま検索できます。また、ブラウザ上部のタブが複数ある中で、タブの1つをドラッグしてページの外側にドロップすると、そのタブを独立させることができます。あるページだけを別に表示させておきたい場合に便利です。

マウスオーバー

　マウスポインタを画面上のある部分に重ねることを、マウスオーバーやマウスオンといいます。ブラウザで開いたWebページが多すぎて、タブにあるタイトルが読み取れなくなった場合に、タブにマウスオーバーすると、タイトル全体が表示されます。

d　ブックマークをうまく使おう

　よく使うWebページや覚えておきたいWebページは、ブラウザの
ブックマーク機能を使って登録しておきましょう。ブックマーク機能
は、リンク集のようなもので、Google Chromeでは「ブックマーク」、
Internet Explorer や Safariなどのブラウザでは、「お気に入り」という
名称になっています。ブックマーク機能は、PCだけでなく、スマート
フォンやタブレット端末のブラウザにもあります。

　では、Google Chromeを例に操作方法を説明しましょう。ブックマー
クに登録するには、Webページを表示した状態で、アドレスバーの右
側にある星印（☆）をクリックします。登録されたブックマークは、ア
ドレスバー下部のブックマークバーに表示されます。目的のWebペー
ジの名前をクリックして開きます。

　登録名は自分の好きな名前にできます。ブックマークの削除や並べ替
えをしたり、フォルダに分けて整理したりできます。ブックマークが増
えすぎると使いにくくなりますし、Webページが変更されることもあ
るので、時々は見直すようにしましょう。

　ブックマークは、ファイルとして保存して他のブラウザやPCに同じ
設定を移行できます。ブックマークの保存をエクスポート、設定の取り
込みをインポートといいます。Google Chromeの場合は、Googleアカウ
ント（Gmailアドレス）を取得してログインしていると、同じ設定を保
存して共通に使えます。

　これらの機能は、「Google Chromeの設定」で、更に細かい操作や設
定ができます。ヘルプを参照していろいろ試してみてください。

第 **II** 章
情報検索　実践編

1 図書を探す

図書とは

　図書は、古くから人類が創り出した知識や情報を伝えるために使われてきたメディアです。時代によって変化はありますが、印刷された紙を製本技術によって冊子状に綴じた情報資源をいいます。図書館は、その名の通り、「図書」を主要な情報資源として、保存・継承してきました。これまでに出版されてきた図書によって、膨大な知識と情報が私たちの時代まで残されてきています。

　なお、呼び方は分野によってさまざまです。図書館では「図書」と呼びますが、一般的には「本」、出版業界では「書籍」などと呼ばれます。「書物」や「書」などという言葉が使われることもあります。

図書の分類

　現在、日本では年間に7万件以上の図書が出版されています。図書は、さまざまな観点から分類することができます。

　まず図書館では、図書が扱っている内容（主題）によって分類し、整理しています。日本の図書館では、『**日本十進分類法**』（NDC）という分類を用いて、蔵書を主題によってまとめて並べています。これを排架といいます。さらに蔵書目録でも主題によってまとめて検索できるようになっています。

　大きさやかたち（形態）によっても分類することができます。用紙のサイズによって分類できますし、文庫や新書、単行本というように分類する

こともできます。また印刷物と電子書籍のように記録形式によって分ける こともできます。

　表2-1-1に2019年の主題・判型別での出版点数についてまとめました。

表2-1-1　主題・判型別での出版点数　（『出版指標年鑑2020』より）

主題	点数	%
総記	804	1.1%
哲学	3,743	5.2%
歴史・地理	3,890	5.4%
社会科学	15,482	21.5%
自然科学	5,066	7.0%
工学・工業	3,951	5.5%
産業	2,444	3.4%
芸術・生活	12,383	17.2%
語学	1,473	2.0%
文学	12,979	18.1%
児童書	4,583	6.4%
学習参考書	5,105	7.1%
総計	71,903	100.0%

判型	点数	%
A5	20,081	27.9%
A6	8,077	11.2%
B5	10,074	14.0%
B6	18,537	25.8%
B40	3,418	4.8%
その他	11,716	16.3%
総計	71,903	100.0%

（四捨五入等により、%の合計が100にならない 場合もある）

　また、用途や対象によって、一般書や専門書、読むための図書や調べる ための図書（**参考図書、レファレンスブック**）のように分類することも可 能です。さらに参考図書の中も、百科事典や辞書、図鑑、年鑑、便覧のよ うにより細かく分けることもできます。

表2-1-2　図書の分類の例

主題別	NDC（0類、1類、2類・・・）
形態別	単行本、文庫本、新書、大型本
知識の種類	一般書、専門書
使い方	参考図書（百科事典、辞書、図鑑など）

　また、特定の図書を識別するための番号（識別子）として、**ISBN**（International Standard Book Number : 国際標準図書番号）があります。ISBNがわかっていれば、ある特定の図書を簡単に検索できます。ただし、実際には出版社の運用によって重複したISBNが付与されることもあるので注意が必要です。

　Webが普及した現代においても、数多くの図書が出版されており、さまざまな情報が提供されています。それでは、これから情報検索の実践を学んでいくにあたって、最初に図書の検索について学んでいきましょう。

図書を主題で検索する

【例題】情報検索に関する図書を探す

> 国立国会図書館オンライン
> 　https://ndlonline.ndl.go.jp/

　国立国会図書館（以下NDL）は、日本の国立図書館です。国立国会図書館法で定められた納本制度によって、日本で出版された出版物を原則すべて収集しています。日本で出版物が存在するかどうかを確認する際には、重要な情報源になります。

　NDLは、蔵書検索システムとして国立国会図書館オンライン（通称**NDL ONLINE**）を提供しています。NDL ONLINEは「国立国会図書館の所蔵資料及び国立国会図書館で利用可能なデジタルコンテンツを検索し、各種の申込みができるサービス」と位置付けられており、NDLが提供する様々なデータベースを統合的に検索できます。

　NDL ONLINEのトップページ中央部に表示された検索ボックスでは、NDLが提供する複数のデータベースに対して、検索の対象となっているすべてのフィールドをまとめて検索することができます。フィールドや対象資料を指定した詳細な検索をする場合には、「詳細検索」の部分をク

リックすると詳細検索のメニューが表示されます。「図書」「雑誌」「雑誌記事」などに分かれており、タブを選択することで検索できるフィールドが変わるものもあります。「複数選ぶ」をクリックすると、複数の資料種別を選択するためのチェックボックスがでてきます。

　今回は、「情報検索」に関するという主題と、「図書」という資料のタイプ（資料種別）の２つの条件が指定されていますので、詳細検索を使います。以下のように検索語をそれぞれのフィールドに入力します。

　　＜タイトル＞＝「情報検索」AND ＜資料種別＞＝「図書」

　この検索では、「情報検索」という語をタイトルに含んだ図書が検索できます。NDL ONLINEでは、適合度順での表示が初期設定になっているので、出版年やタイトル順で並べ替えたい場合は、「適合度順」と表示された部分のドロップダウンリストから望みの並び順に変更して横の「表示」ボタンをクリックしましょう。

　検索結果を見ていくと、当然いずれの図書も「情報検索」という語を含んだものがでてきています。しかし、世の中には、タイトルには「情報検索」という語を含んでいなくても、内容的には情報検索について扱っている図書もあります。タイトルでの検索は、そのようなものまでは検索することができていません。そこで、タイトルだけではなく、内容的に適合した資料を探すために、**主題**を使った検索を行ないましょう。

　図書館では、統制語である**件名標目**や主題を表す**分類記号**を用いて、主題からの検索ができるようになっています。今回は件名標目をつかって検索してみましょう。

Web NDL Authorities　　https://id.ndl.go.jp/auth/ndla

　NDLが使用している件名標目が検索できるサービスとして、**Web NDL Authorities**があります。上記のURLに直接アクセスするか、NDL ONLINEトップページの「国立国会図書館のオンラインサービス一覧」か

らアクセスしてみましょう。Web NDL Authoritiesでは、普通件名（主題）と名称典拠（人名や団体名に関する典拠）のデータを検索できます。Web NDL Authoritiesで「普通件名のみ」を選択して、「情報検索」と検索すると、NDLSHに「情報検索」という件名標目が存在していることがわかります。そこで、この件名標目を使って、NDL ONLINEで検索しなおしてみましょう。

図2-1-1 NDL ONLINEの検索画面

　　＜件名＞＝「情報検索」AND ＜資料種別＞＝「図書」

　件名を使って検索すると、『データベースと情報管理』や『アンビエント・ファインダビリティ』のような図書が見つかりました。これらの図書は、「情報検索」という語をタイトルに含んでいないけれども、情報検索に関連した内容を扱っています。つまり、主題として情報検索を扱っています。件名標目を使うことで、特定の主題に対して正確で網羅的な検索が可能になります。なお、NDL ONLINEをつかって、主題で検索する際には、NDCや『国立国会図書館分類表』（NDLC）を使って検索するのも有効です。

　NDL ONLINEでは膨大な量の資料を検索することができます。検索方法は、上で紹介した「簡易検索」や「詳細検索」以外にも、「検索結果」

を絞り込むから検索結果をフィルタしていくことや、完全一致やトランケーションを使いこなしていくことも大事です。それぞれの利用方法についてはヘルプに目を通しましょう。

　今回はNDL ONLINEを使って、主題による図書の検索をしましたが、ほかのOPACでも件名標目を使った検索は可能です。OPACの操作画面・操作方法は図書館やシステムによっても異なります。利用の際には、ヘルプやマニュアルをよく読んでそれぞれのOPACの操作方法を確認しましょう。

Webcat Plus　　http://webcatplus.nii.ac.jp/

　日本の出版物を検索できる大規模なデータベースとして、Webcat Plusもあります。Webcat Plusは国立情報学研究所（NII）が作成しているデータベースで、後述するNACSIS-CATのデータに加えて、NDLの蔵書データ、「BOOK」データベースなどを収録対象としています。「BOOK」データベースは、トーハン、日本出版販売、紀伊國屋書店、日外アソシエーツによって作成されている、要旨や目次情報も含んだデータベースです。そのため、従来のOPACがもっていなかった情報からも検索が可能です。

　検索に関しても、従来の検索に該当する「一致検索」に加えて、「連想検索」機能を使うことができます。連想検索では、「最新の情報検索の技術を知りたい」のような文章から検索ができ、自由に幅広い検索が可能になっています。ただし、検索結果は非常に大量になるため、情報要求がある程度はっきりした検索をする場合には、適当ではないかもしれません。

　最近は詳細画面に関連する資料を提示してくれるOPACもあります。たとえば、杉並区立図書館のOPACでは、「同じ著者」、「同じ出版年」、「同じ件名」、「同じ分類」という形で、1つの図書からほかの関連する情報をもった図書へと案内してくれます。ピンポイントで探すことができなくても、オンライン書店と同じ感覚で資料を探索していくことができるようになっています。

完全一致で短いタイトルの図書を検索する

【例題】『図書館の運営』という図書がいつ誰によって出版されたか知りたい

　まずは単純に、NDL ONLINEで以下のように検索してみましょう。

　　＜タイトル＞＝「図書館の運営」AND ＜資料種別＞＝「図書」

　多くの検索結果が表示され、その中には『学校図書館の運営』や『中小都市における公共図書館の運営』など今回の検索では求めていないようなものも引っかかってしまいます。これは通常の検索が、第Ⅰ章2「データベースと検索の仕組み」で説明した中間一致で行なわれているからです。タイトルで中間一致した場合は、その検索語がタイトルのどこかに含まれていればいいので、検索語以外の言葉が前後に付いていても検索結果に表示されてしまい、検索ノイズが増えてしまいます。そこで、余分な文字列を付けずに正確な検索をしたい場合には、完全一致での検索が効果的です。
　NDL ONLINEで完全一致検索をする場合には、全角の／で検索語の前後をくくります。今回は『図書館の運営』というタイトルですので、＜タイトル＞＝「／図書館の運営／」AND ＜資料種別＞＝「図書」として検索します。結果を見ると、『図書館の運営』は本書執筆時には16件あり、群馬県立図書館によって1972年から出版されていたことがわかりました。このようにタイトルが明確である場合や、憲法や情報のように短い語で検索する場合は、完全一致での検索が有効です。完全一致での検索方法はシステムによって異なる場合がありますので注意しましょう。

特定の著者の図書を検索する

【例題】論理学者の三浦俊彦氏が書いた図書にどのようなものがあるか知りたい

　この例題では、特定の著者が執筆した図書をまとめて検索することにな

ります。こんな時にもOPACは有効です。

　まずは＜著者・編者＞＝「三浦俊彦」AND ＜資料種別＞＝「図書」で検索してみましょう。検索結果を見てみると、論理学に関する図書に加えて、マーケティングに関する図書や小説、環境音楽に関するエッセイなどが見つかります。ずいぶん主題範囲が広く感じられます。これは、論理学者である三浦俊彦氏とマーケティングの研究者である三浦俊彦氏の同姓同名の著者が存在し、検索結果には両氏の書いた図書が混在しているからです。このような同姓同名による問題を解決するのに使えるのが、第Ⅰ章2「データベースと検索の仕組み」で紹介した典拠コントロールです。

　典拠コントロールされた項目を使って検索する方法はいくつかありますが、もっとも簡単な方法は、詳細表示の中の「個人著者標目」（団体名の場合は団体著者標目）を使う方法です。今回の場合は、例えば論理学を扱っていることが明らかな『論理学入門：推論のセンスとテクニックのために』をクリックしてみましょう。表示されたレコードの中から「詳細な書誌情報を表示」をクリックして、詳細な情報を表示させます。その中にある「著者標目」は「三浦, 俊彦, 1959-」となっており、その横にWeb NDL Authoritiesで検索するためのボタンと、その標目でNDL ONLINEを検索するためのボタンが用意されています。虫眼鏡のアイコンの「著者標目でNDLオンラインを再検索する」をクリックすると、著者標目を使った検索結果が表示されます。

　しかし残念なことに執筆時点ではNDL ONLINEの著者標目検索には不具合があるようで、同姓同名の著者が検索されてしまいます。はじめて使う検索システムの場合には、検索の仕方を調べることともに、検索がうまくいっているか検索結果をよく見ることも大事です。

　著者名に関する典拠データは、上述したWeb NDL Authoritiesを使って検索することができます。名前で検索すると2件の三浦俊彦のレコードが検索されます。この例では、生年で区別されていますが、活躍した分野によって区別されていることなどもあります。生年ではどのレコードが適切

かわからない場合は詳細画面を見ると「出典」などから判断することができます（図2-1-2）。

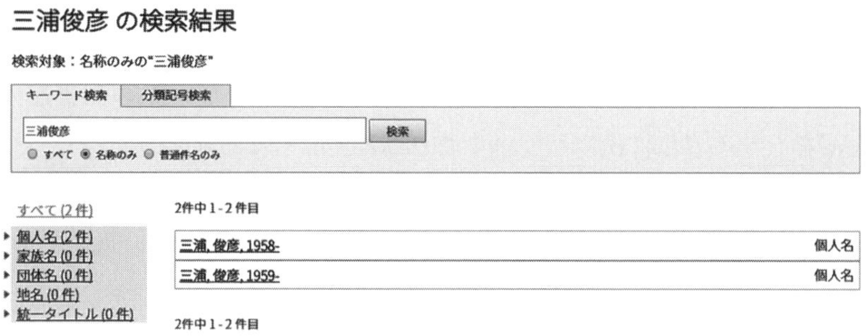

図2-1-2　Web NDL Authoritiesの検索画面

　図書館以外で典拠コントロールがなされることはほとんどありません。例えばAmazonで著者が「村上春樹」の著作を検索してみましょう。検索結果をずっと見ていくと、『将門記（物語の舞台を歩く）』という図書が現れます。こんな本も書いているのかと意外に思いつつ詳細画面を見てみると、利用者のレビューに、小説家と同姓同名の国文学者である村上春樹氏の著作なのに間違って買ってしまったという記述が見つかります。

　図書館では典拠コントロールがなされているため、NDL の典拠データでは小説家の村上春樹氏は「村上, 春樹, 1949-」、国文学者の村上春樹氏は「村上, 春樹, 1937-」というようにきちんと区別されているので、このような悲劇を防ぐことができます。このように、典拠コントロールされた著者標目を使うことで、特定の著者が関与している図書を網羅的かつ正確に検索することが可能です。

特定の資料を所蔵している図書館を検索する

【例題】『式辞演説資料　五分間演説集』という本を所蔵している図書館を知りたい

CiNii Books https://ci.nii.ac.jp/books/

　この例題では、どこの図書館が所蔵しているか、という所蔵検索を行なうことが求められています。現在、日本には約3,300の公共図書館、約1,400の大学図書館が存在しており、所蔵検索をするのに一つ一つの図書館のOPACをシラミ潰しに検索していくことは現実的ではありません。そこで、複数の図書館の所蔵資料をまとめて検索する方法について知っておきましょう。

　複数の図書館の所蔵を検索するのに便利なのが、総合目録です。総合目録は、複数の参加館が同じ規則を用いて構築していく目録のことで、書誌情報に加えて所蔵情報も収録されています。日本では、国立情報学研究所（NII）の目録所在情報サービス**NACSIS-CAT**のデータから構築された総合目録データベースや、NDLの「国立国会図書館総合目録ネットワーク事業（ゆにかねっと）」による総合目録などがあります。

　それでは、例題に取り組みましょう。『式辞演説資料　五分間演説集』は、国立国会図書館が所蔵していない資料を紹介している『雑学の冒険』（礫川全次著、批評社）に掲載されている資料です。そのためNDL ONLINEでは検索できません。そこで大学図書館の所蔵を検索してみましょう。

　NACSIS-CATのデータを検索するために、CiNii Books（サイニイ ブックス）を利用します。CiNii Booksでは1,341館（2020年現在）の蔵書データをまとめて検索できます。CiNii Booksにアクセスすると＜フリーワード＞のボックスが一つだけ表示された簡易検索の画面が表示されます。詳細検索をしたい場合は「詳細検索」の箇所をクリックすると、それぞれのフィールドごとのボックスが表示されます。

　今回は、タイトルと資料の種類が指定されているので、フィルタで「図書」に限定し、＜タイトル＞＝「式辞演説資料 五分間演説集」で検索します。1件のレコードが検索されますので、詳細画面を表示します。詳細画面では、従来通りの書誌事項に加えて「大学図書館所蔵」に関する情報があり

ます。これが所蔵情報です。所蔵情報を見ると、この資料は、2つの大学の図書館が所蔵していることがわかりました。もし所蔵館が多い場合は、図書館の所在する地域などで絞り込むことができます（図2-1-3）。

書誌事項

五分間演説集 : 式辞演説資料
日本青年通信社, 1918.5

タイトル別名　　　式辞演説資料五分間演説集

タイトル読み　　　ゴフンカン エンゼツシュウ : シキジ エンゼツ シリョウ

大学図書館所蔵　2件 / 全2件

すべての地域　∨　すべての図書館　∨　　　　　　□ OPACリンクあり

🏛 大東文化大学 図書館
809.4/G56 1113970596　　　　　　　　　OPAC

🏛 立教大学 図書館
42188901　　　　　　　　　　　　　　OPAC

図2-1-3　CiNii Books での書誌情報と所蔵情報

　公共図書館の蔵書を調べる場合には、国立国会図書館サーチ（NDLサーチ、https://iss.ndl.go.jp）を使うこともできます。NDLサーチでは、公共図書館蔵書の総合目録であるゆにかねっとのデータを検索できます。なお、ゆにかねっとへデータを提供している図書館は、都道府県図書館や政令指定都市立図書館の中央館に限定されており、すべての公共図書館が対象ではありません。

　NDLサーチで、＜タイトル＞＝「式辞演説資料 五分間演説集」AND ＜データベース＞＝「公共図書館蔵書」で検索すると、1件のレコードが検索され、秋田県立図書館が所蔵していることがわかります。このように複数の図書館をまとめて所蔵検索したい場合には、総合目録を利用しましょう。

　複数の図書館の蔵書をまとめて検索するには、総合目録以外にも、横断検索システムを使う方法もあります。横断検索システムは、複数の図書館が公開しているOPACを1つの操作画面から検索できるようにしたも

のです。東京都立図書館が公開している統合検索システムや大阪府Web-OPAC横断検索など地方自治体が作成しているものや、カーリル（https://calil.jp/）のような企業によって作成されたものなどがあります。

　横断検索システムの場合は、データベースとしてすべてのデータを保持するのではなく、システムが公開されているOPACを検索にいくため、その時点での最新の検索結果を見ることができます。しかし、各OPACを順に検索してその結果を表示していくため、検索に時間がかかることや検索先となるOPACの状態によってはデータを利用できないことがあるなどの問題もあります。

図書を購入・入手する

　これまで図書館での検索について考えてきました。図書館の資料は一時的に借りることはできますが、個人で所有することはできません。図書を購入・入手したい場合には、図書が市場に流通しているかどうか検索しなければなりません。

　以前は、日本書籍出版協会が出版していた『日本書籍総目録』のWebデータベース版であったBooks.or.jpを使うことで、出版社が現在入手可能としている図書を検索することができました。しかし2019年のサイトリニューアルによって、入手可能なものだけでなく、品切れ・絶版状態の図書も検索対象になってしまいました。

　そのため、現在はオンライン書店や出版社サイトなどを駆使して入手可能な書籍を探すことが必要になっています。たとえば紀伊國屋書店ウェブストア（https://www.kinokuniya.co.jp/）や、Amazon（https://www.amazon.co.jp/）のようなオンライン書店では、絶版状態の図書でも在庫があれば購入できることがあります。紀伊國屋書店やhonto（https://honto.jp/）では実店舗での在庫を確認し、取り置きなどを依頼することもできます。また、日本の古本屋（https://www.kosho.or.jp/）やスーパー源氏（https://www.supergenji.jp/）、ヤフオク!（https://auctions.yahoo.

co.jp/）などで古書として入手できる可能性もあります。

　日頃から図書の新刊・近刊情報をチェックしておくことも大事です。新刊情報は出版社のWebサイトに掲載されますが、まとめて見ることができるものとして、日販が運営しているオンライン書店であるHonya Club（https://www.honyaclub.com/）の新刊情報や、JPO近刊情報センターのデータを用いた近刊情報検索サイトである版元ドットコム（https://www.hanmoto.com/）などがあります。これらのサイトを活用して、効率的に新刊情報をチェックしておくといいでしょう。

　最近は電子書籍の出版点数も増えてきました。電子書籍は、AmazonのKindleやAppleのiBooks Storeのような配信サイトや、出版社の直販サイトなどから購入できます。種々の出版社・配信サイトから提供されている電子書籍をまとめて検索することができるサイトもWeb上で複数公開されています。ただし、すべてのサイトが対象にはなっているわけではないので、電子書籍の網羅的な検索は現在のところ簡単ではありません。

外国での所蔵を探す

WorldCat　　https://www.worldcat.org/

【例題】ISBNが4-8288-2252-6の図書をアメリカ合衆国の図書館が所蔵しているか知りたい

　「特定の資料を所蔵している図書館を検索する」の例題で複数の図書館の所蔵を調べるために総合目録を利用しました。この例題では海外での所蔵状況を調べますので、世界的な総合目録である、OCLCのWorldCatを利用します。WorldCatは世界最大の書誌データベースとされており、世界中の100か国以上の図書館が作成した約5億件の書誌レコードが収録されています。WorldCatを使うと、日本語の資料も含めて参加館の資料をまとめて検索することができます。

　WorldCatにアクセスすると、1つの検索ボックスのみが表示された簡易検索が表示されます。ボックスの下の「詳細検索」をクリックして、詳細検索に移動します。検索フィールドから＜ISBN＞を選択し、「4828822526」で検索します。結果を見ると、指定の図書は、吉本ばなな氏の『キッチン』であることがわかります。

　タイトルをクリックして詳細画面を表示し、所蔵情報を検索します。ただし、書誌データの品質はそれほど高くないため、検索結果をよく確認する必要があります。「オフラインで入手」の下部にある＜現在地を入力してください＞のボックスに「united states」（us）などと入力することで、アメリカ合衆国での所蔵状況を検索できます（図2-1-4）。

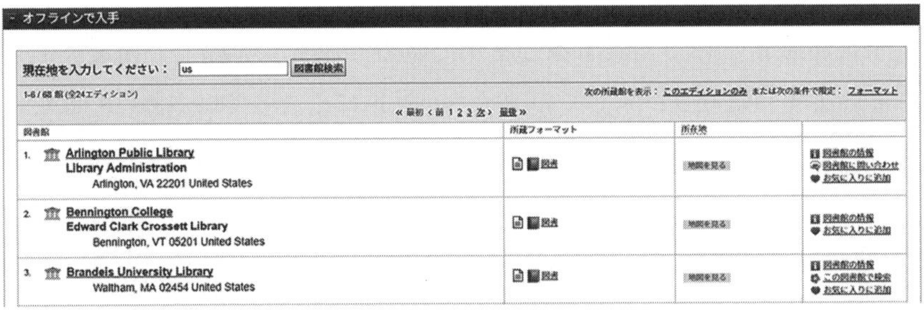

図2-1-4　WorldCatでの所蔵検索

　所蔵を検索する際には、国名（例：Japan、France）や国名のコード（例：jp、fr）、またアメリカの場合は州名（例：ca、ny）などでも検索できます。

> **まとめ**
> ・典拠コントロールされた項目（件名標目、著者標目など）を使って正確で網羅的な検索を目指す
> ・複数の図書館の蔵書をまとめて検索する時には総合目録を使用する
> ・購入のためには書店や古書店の目録も検索してみる

2 雑誌記事を探す

雑誌記事とは

　雑誌とは同じ雑誌名（タイトル）のもとに複数の部分（巻号）が出版されるものです。専門的には**逐次刊行物（定期刊行物）**や**継続資料**ともいわれます。雑誌には、**一般雑誌**と**学術雑誌**があります。

　一般雑誌とは、書店やコンビニエンスストアなどで目にする雑誌のことで、総合雑誌や文芸誌、ファッション雑誌や漫画雑誌など多様な雑誌が刊行されています。英語ではマガジンと呼ばれます。記事の執筆は、出版社内の編集者や依頼による執筆が中心です。

　学術雑誌とは、学術的な内容の記事や論文を掲載する雑誌のことです。一般雑誌と区別して、英語ではジャーナルと呼ばれます。学術雑誌に掲載されるのは論文が中心です。またその執筆についても、編集部からの依頼によって執筆されるのではなく、研究者からの自主的な投稿が中心です。投稿された論文は、「査読」と呼ばれる審査がなされ、質的な保証がされています（第Ⅲ章7「査読論文」参照）。総合的な学術雑誌として、*Nature*や*Science*などや、それぞれの分野別にさまざまな学術雑誌が刊行されています。

　図書は体系的で、ある程度一般に浸透した情報の提供が中心です。図書と比べて雑誌に掲載される情報は、1）情報が早い、2）情報が断片的・部分的である、3）査読制度により信頼性が高いなどの特徴があげられます。

　雑誌記事の入手に関しても図書と大きく異なるところがあります。図書の場合は、資料を検索し、その所蔵情報を確認し、現物を入手しました。雑誌記事を入手する際には、1）情報要求に合った雑誌記事の検索（索引）、2）該当の雑誌記事を掲載した号の所蔵の確認の2段階での検索が必要になります。

図2-2-1　雑誌記事検索のプロセス

雑誌記事を検索する

【例題】ISSN「0386-2003」の雑誌に掲載された「無料貸本屋」をタイトルに含む記事を検索する

CiNii Articles　https://ci.nii.ac.jp

　CiNii Articles（現在ではCiNii Research。以下、CiNii）とは、NIIが作成している雑誌記事索引データベースです。NIIが作成している「NII-ELS学協会刊行物」「NIIELS研究紀要」「引用文献索引データベース」などに加えて、NDLの「雑誌記事索引データベース」や機関リポジトリなども収録対象としており、日本の雑誌記事に関しては、一般雑誌から専門の学術雑誌まで幅広い雑誌に掲載された記事が採録されています。

　第Ⅱ章1「図書を探す」で扱ったCiNii Booksとは兄弟のような関係になります。また、本書では扱いませんが、日本の博士学位論文を対象としたCiNii Dissertationsも作成されています。

　アクセスすると簡易検索の画面になります。簡易検索では記録されているほぼ全てのフィールドから検索語のマッチングを行ないます。そのため、情報要求が曖昧な場合には有効です。

　「詳細検索」をクリックすると、フィールドを指定した検索が可能になります。一般的なタイトル（論題）や著者名、刊行物名（雑誌名）に加えて、著者IDや著者の所属、参考文献からの検索も可能です。

　なお、ISSN（International Standard Serial Number：国際標準逐次刊行物番号）は書籍におけるISBNと同様に、世界中の雑誌の中である雑誌一誌を特定できます。ただし、日本では雑誌には別コードが使われてきた

慣習があり、学術雑誌などの硬めの雑誌には付与されていますが、一般雑誌にはあまり付与されていません。

　今回の例題では、ISSNとタイトルに含まれるキーワードが指定されています。そのため、複数のフィールドを組み合わせて検索できる詳細検索を使います。以下のように検索してみましょう。

　＜タイトル＞＝「無料貸本屋」AND ＜ISSN＞＝「0386-2003」

　その結果、4件（本書執筆時点）が表示され、ISSNが「0386-2003」の雑誌は『出版ニュース』誌であり、1999年頃から「無料貸本屋」が話題になっていたことがわかりました。

特定の著者による記事・論文を検索する

【例題】山内龍氏の書いた論文・記事を検索する

　まずは、＜著者名＞フィールドに「山内龍」と入力して検索してみましょう。検索結果を見ると、山内龍が著者の論文以外にも、山内龍太、山内龍男、小山内龍一など「山内龍」を部分的に含んだ著者の論文も多数検索されてしまいます。

　CiNiiで特定の著者が書いた論文を検索する場合には、1）著者検索を使う方法と、2）論文検索の詳細検索を使う方法の2種類があります。1）の著者検索は、IDで識別された著者からの検索で、2）の論文検索の詳細検索は著者名のフィールドを使った検索です。

　それでは、「山内龍」をCiNiiの著者検索で検索してみましょう。

　山内 龍 ID：9000292863368
　CiNii 収録論文：1件
　・大正後期陸軍の士官学校改革：士官候補生在隊教育の在り方を巡って（2015）

　上記のレコードが検索されて山内龍氏だけが検索されました。

　CiNiiの著者検索は効果的ですが、問題点もあります。本書の著者の1人である安形輝について著者検索してみましょう。

　　1. 安形 輝 ID：1000080306505
　　2. 安形 輝 ID：9000403149632

　検索結果を見ると、2020年9月現在では、同姓同名の別人が混じっている訳ではないにも関わらず、2レコードに分割されています。このようにCiNiiの著者検索は、図書の検索での典拠コントロールほどは完全ではありませんので、使用の際には注意が必要です。

　著者検索で有効な検索手法として、完全一致検索を使う方法があります。著者検索の例で、レコードは分割されていますが、別の「安形輝」は混じっていないことが確認できました。そこで、CiNiiの論文検索では、検索したい文字列を／（スラッシュ）で囲むことで完全一致検索ができます。論文検索の詳細検索面から＜著者名＞＝／安形輝／で検索すると、安形輝が書いた記事と論文をまとめて検索することができます。

　ただし、この方法は、同姓同名の著者がいないことが前提になっています。同姓同名の著者がいる場合は、＜キーワード＞や＜刊行物名＞と組み合わせるなどの工夫が必要です。

電子ジャーナルを検索する

> J-STAGE　https://www.jstage.jst.go.jp/

　J-STAGEは科学技術振興機構（JST）によって作成されている電子ジャーナルプラットフォームです。そのため、J-STAGEでは検索した記事・論文の本文を直接閲覧することが可能です。

【例題】太郎丸博氏が学術雑誌に発表した査読に関する記事の中で引用し
　　　　ている文献を読みたい

　J-STAGEでも簡易検索と詳細検索があります。簡易検索では、記事、
誌名、発行期間、DOI（Digital Object Identifier：雑誌記事・論文の識別子）
の４つの項目から検索ができるようになっています。詳細検索では、一般
的な標題（タイトル）や著者名、キーワード、出版年に加えて、査読の有
無や記事の属性などからも検索可能です。
　今回の例題では、太郎丸博氏（著者）が学術雑誌（資料種別）に発表し
た査読に関する論文（論文タイトル）で指定される記事で引用している文
献を調べます。そこで詳細検索から以下のように検索します。

　　＜資料種別＞＝「ジャーナル」AND ＜論文タイトル＞＝「査読」AND
　　　＜著者名＞＝「太郎丸博」

　その結果、『ソシオロジ』誌に掲載された「投稿論文の査読をめぐる
不満とコンセンサスの不在」という論文が検索されます。ここで「本文
PDF」のボタンをクリックすると、PDF形式で論文の本文を閲覧できま
す。論文の末尾の「文献」を見ると、この論文が引用している文献がわか
ります。また検索結果のタイトルをクリックし、詳細画面を表示させてか
らページ下部にある「引用文献」の部分をクリックすることでも、引用文
献を一覧できます。

Google Scholarで記事・論文を検索する

Google Scholar　　https://scholar.google.co.jp/

　Google Scholarは、Googleが提供している学術情報に特化したサーチエ
ンジンです。Googleが収集した多様なWeb上の情報の中から学術的な情
報を自動的に判定し検索対象としています。CiNiiのデータも収録対象に

なっているため、日本語の雑誌記事の検索も可能になっています。

　Google Scholarの特徴の1つとして、Web上でオープンアクセスとなっている文献に関しては、ファイルへのリンクが表示されることがあります。元の論文がどこにあるかを意識することなく、検索から本文の入手までスムーズにすすめることができます。また、サイトライセンス契約＊に

> ＊サイトライセンス契約とは1台のコンピュータやアカウント単位で契約するのではなくネットワーク単位で契約を結ぶ方式です。サイトライセンス契約を結んでいるデータベースや電子ジャーナルを利用する際には、IPアドレスによって利用者が識別され，他の認証が不要になります。

よって電子ジャーナルが利用できる環境であれば、提供元へのリンクが表示されます。

　Google Scholarは、引用文献の検索が可能です。下図の「引用元」をクリックすると、この論文を引用している文献を一覧することができます。このような検索を引用文献検索といいます。引用文献検索の詳細については、第Ⅲ章6「引用文献検索」で説明します。

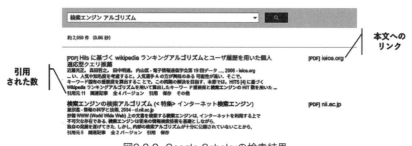

図2-2-2　Google Scholarの検索結果

雑誌論文を入手する

【例題】「キラキラネームとＥＲ受診時間の関係」という論文の実物を入手したい

　電子ジャーナルで提供されている場合を除いて、実際に雑誌記事を入手

するためには、当該の論文が掲載された号にアクセスする必要があります。
雑誌の所蔵状況を確認する場合にもOPACを利用します。

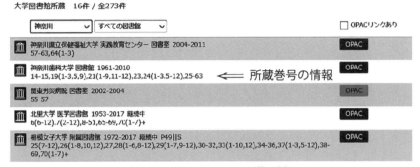

図2-2-3　CiNii Booksでの所蔵の例

　この例題の場合は、最初にCiNiiを使って、＜タイトル＞が「キラキラ
ネームとＥＲ受診時間の関係」の論文を検索し、その書誌事項を確認しま
す。『小児科臨床』という雑誌の68巻11号の2,113～2,117ページに掲載され
ていることがわかります。

　次に、OPACを使ってこの号を所蔵している図書館を検索します。ここ
ではCiNii Booksを使用します。雑誌記事を探す場合にはCiNiiで検索し、
雑誌の所蔵を探す場合にはOPACやCiNii Booksで検索することをしっか
りと認識しておきましょう。CiNii Booksを検索する場合には、詳細表示
の中にある「この論文をさがす」のリンクを使用すると便利です。リンク
をクリックすると、CiNii Booksの詳細画面に移動します。そこで、「大学
図書館所蔵」の中で所蔵巻号に関する情報を確認し、当該号を所蔵してい
る図書館を探します。神奈川県では、北里大学医学図書館や相模女子大学
附属図書館が所蔵していることがわかります（図2-2-3）。

　もちろんCiNii Books以外でも、国立国会図書館オンライン（通称NDL
ONLINE）や公共図書館のOPACで検索することも可能です。

雑誌タイトルの変遷を調べる

【例題】『月刊衛星 & ケーブルテレビ』のタイトルの変化を調べたい

　雑誌タイトルは、継続的に刊行されていく中で、様々な変更がされることがあります。雑誌名が変更されることだけでなく、ある雑誌から別の雑誌が分離独立すること、複数の雑誌が一つの雑誌に合流することもあります。

　雑誌名の変更は、例えば、『主婦之友』から『主婦の友』へのような軽微な変化もありますし、『絵本とおはなし』から『MOE』のような大きな変化もあります。このような雑誌タイトルの変遷は図書館の目録に注記として記載されていることもあるため、まずは OPAC を検索し、雑誌タイトルの目録を調べます。

　また、CiNii Books を使うと、「雑誌変遷マップ」として雑誌タイトルの変遷を図として見ることができます。

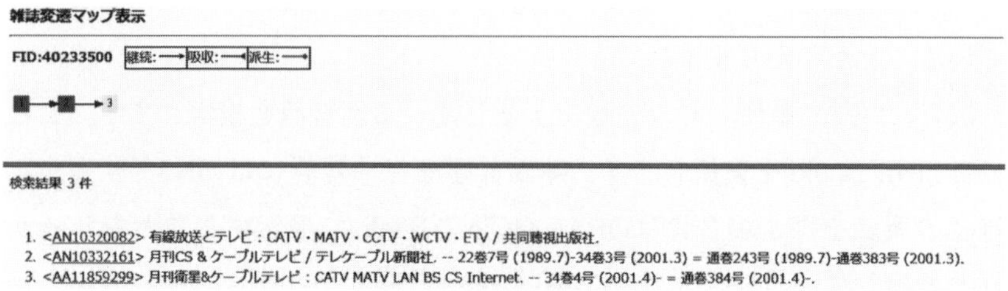

図2-2-4　雑誌変遷マップ

　詳細表示中の「雑誌変遷マップ ID」のリンクをクリックすると、上図のような雑誌名の変遷とそれぞれのレコードへのリンクを見ることができます（図2-2-4）。

　　＜タイトル＞＝「月刊衛星 & ケーブルテレビ」AND ＜資料種別＞＝
　　「雑誌」

　長い歴史を持つ雑誌の場合には、複雑な変遷を経過していることがあります。図2-2-5は、物理学を対象とした学術雑誌Physica. A（ISSN 0378-

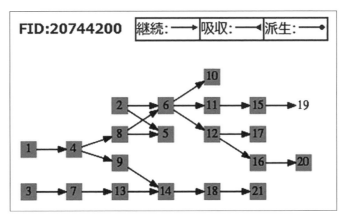

図2-2-5 複雑な雑誌変遷の例

4371）の例です。多くの誌名変更、吸収、派生を繰り返していることがわかります。このような複雑な変遷を理解するためには、雑誌変遷マップは非常に役立ちます。

　雑誌変遷マップのような形ではありませんが、NDL ONLINEでも、詳細画面中の「参照」のフィールドに「継続前誌」（いま見ているレコードの前のタイトル）、「継続後誌」（いま見ているレコードの後のタイトル）として雑誌名の変遷に関する情報が記録されています。

　さて、図書館では雑誌タイトルの変遷をどのように把握しているのでしょうか。実は、雑誌タイトルの変遷は出版者から図書館に必ず通知されるものではなく、図書館が独自に把握したものを目録に反映していきます。そのため、大学図書館の総合目録であるCiNii Books側で把握している変更と国立国会図書館が把握している変更は必ずしも一致するものではありません。例えば、「文藝春秋」はCiNii Booksで検索すると雑誌タイトルに関する変更が複数回行われたことが雑誌変遷マップからわかります。一方、国立国会図書館では注記に出版者の変更などの記述はありますが、雑誌タイトルの変更についての記述はありません。雑誌タイトルの変遷を丁寧に追いたい場合にはCiNii BooksとNDL ONLINEの両方、さらには他の情報源を調べると良いでしょう。

専門データベースを使って検索する

　CiNiiや国立国会図書館の雑誌記事索引を使うことで、かなり多くの雑誌記事論文を検索できます。ただし完全に網羅的な記事索引は存在しませんので、専門的な分野を詳細に検索したい場合は、不十分な場合があります。そのような場合はそれぞれの分野ごとに作られている専門データベースを利用することになります。

　一般雑誌に強いデータベースとしてWeb OYA-bunkoがあります。これはジャーナリスト大宅壮一氏のコレクションを元に運営されている雑誌専門の図書館である大宅壮一文庫の雑誌記事索引データベースを検索できるものです。芸能関係やゴシップ記事などの検索にも強いのが特徴です。日外アソシエーツ社のMagazinePlusは、国立国会図書館の雑誌記事索引の収録誌およびそれ以外の一般雑誌（主たる収録対象は1981年以降）についても検索できます。また、一般雑誌以外に「地方誌文献年鑑」「学会年報・研究報告論文総覧」等の独自のデータベースも収録されています。

　JDream Ⅲは「科学技術文献情報データベースサービス」とされており、自然科学系（いわゆる理系）の雑誌記事に強いデータベースです。また、海外の雑誌記事も収録されており、抄録（要約）の日本語版が掲載されているものもあります。

　海外のデータベースには、PubMed（医学分野）、ERIC（教育学分野）、LISTA（Library, Information Science & Technology Abstracts、図書館情報学分野）などさまざまな分野で専門のデータベースが作成されています。利用方法はそれぞれで異なりますので、利用の際には確認が必要です。

まとめ

・雑誌記事を入手するためには雑誌記事の検索と所蔵の検索が必要になる

・図書の検索に比べると、典拠コントロールはあまりされていない

・特定の分野について詳細に検索する場合は、専門的なデータベースを利用する

・雑誌タイトルの変遷は複数の情報源を参照する

3 新聞記事を探す

新聞とは

　身近な情報源である新聞は、雑誌と同様に同一のタイトル（新聞名）のもと、事件や出来事などに関する速報性の高いニュース記事が掲載される定期刊行物です。新聞には多くの種類があり、いくつかの観点で分類されます。刊行頻度では日刊、週刊、旬刊、月刊、季刊、配布エリアでは全国紙、ブロック紙、地方紙、内容では**一般総合紙**（全国紙）と**専門紙**に分けられます。

　ところで、配布エリアの広い日刊の一般総合紙には、通常「○版」と数字がついています。新聞が読者の手元に届く時刻をある程度一定にしようとすると、本社のある都市部が最も紙面の締め切り時間が遅く、距離が遠くなるに従って締め切り時間が早くなります。東京圏でいえば、東京23区と呼ばれる東京特別区（以下、東京23区）版の締め切り時間が最も遅く、多摩版はそれよりも締め切り時間が早いことになります。締め切り時間が早いほど版数は若くなり、最も締め切りが遅い版が最終版となります（図2-3-1）。

　また、日刊の一般総合紙の多くは縮刷版を発行しています。縮刷版とは、文字通り新聞の原版を縮小して印刷したもので、図書館資料として広

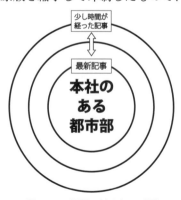

図2-3-1　新聞の締め切り時間

く普及しています。一般的に1か月分をA4版の冊子にしており、多くの場合、東京23区版の最終版の紙面を収録しています。新聞の本紙以外に、日曜版、号外、全面広告などは収録対象となりますが、地方版にしかない記事は収録されません。

この節では、新聞やデータベースの特性を解説しつつ、印刷物も含めて使用目的に合わせた記事の入手方法を紹介します。

代表的な新聞の有料データベースと無料サイト

前述の一般総合紙は、無料の新聞サイト（以下、無料サイト）とともに、有料の新聞記事データベース（以下、有料データベース）を提供しています。有料データベースは、東京23区版以外の地方版や地域面にのみ掲載された記事なども収録され、誤報や誤植記事に対応する訂正記事を元記事とともに表示する機能をもつものがあります。ただし、紙面のレイアウト通りではなく記事単位で表示されるものが多く、縮刷版のように広告等も含めた紙面を見られるわけではありません。

以下に、特に発行部数が多い、朝日新聞、読売新聞、日経新聞の有料データベースと無料サイトを紹介します。

1）朝日新聞

有料データベース
　聞蔵Ⅱビジュアル　　　https://database.asahi.com/
無料サイト
　朝日新聞デジタル　　　https://www.asahi.com/

2）読売新聞

有料データベース
　ヨミダス歴史館　　　https://database.yomiuri.co.jp/about/
　　　　　　　　　　　rekishikan/
無料サイト
　読売新聞オンライン　https://www.yomiuri.co.jp/

3) 日本経済新聞

```
有料データベース
  日経テレコン        https://t21.nikkei.co.jp/
無料サイト
  日経電子版          https://www.nikkei.com/
```

新聞の有料データベースと無料サイトの違い

　無料サイトの記事はWebページとして表示されるため、紙面での配置やレイアウトは再現されません。有料データベースでは新聞の紙面のレイアウト通りに表示できるPDFファイルを提供しています。ただし、縮刷版とは違って、広告や個人情報にかかわる情報が省かれている場合があり、まったく同じ紙面レイアウトではありません。

　通常、新聞では紙面の制約上、記事の長さに限りがありますが、無料サイトでは、本紙には骨子や要約しか掲載されないインタビュー記事の全文や動画などが掲載されることもあります。例えば、朝日新聞の場合は、紙面に「+d デジタル版に全文」や「+d デジタル版に動画」という表示のついた記事は、無料サイトの朝日新聞デジタルで全文や動画を見ることができます。また、デジタル版限定の記事もあります。

　検索の機能面では、無料サイトではキーワード検索のみの場合が多いのに対して、有料データベースではキーワード以外に掲載時期、掲載面、本社版・地方版などから検索できます。また、無料サイトの収録期間は有料データベースのように長期ではなく、多くの場合半年から1年間程度になっています。

　例えば、無料サイトの朝日新聞デジタルでは、Webサイトの上部に検索ボックスが用意されており、一般利用者や無料会員は過去1年分の記事を「サイト内記事検索」で検索できます。それより過去の記事を検索したい場合には、有料会員用の「新聞記事検索」を利用するか、有料データベースである聞蔵ビジュアルⅡを使う必要があります。

新聞記事の構成要素

　ここで、新聞記事の構成要素について確認しておきましょう。構成要素には、見出し、記事全体の要約であるリード（重要な記事の場合）、本文、さらに重要な構成要素として写真や図表があります。見出しはその記事の内容を簡潔に表すタイトルです。

　新聞記事の本文は段落ごとに区切られています。記事中、最も重要な内容を最初の段落に、段落が進むにつれ周辺的な情報を記述することになっています。紙面で大きく場所をとるような重要な記事の場合には、最初の段落がリードとして複数段にわたり掲載されます。このような段落構造になっているのは、段落ごとに長さや分量を調整できるようにするためです（図2-3-2）。

　前述したように新聞は日々複数の版が作られており、編集途中で重要な記事が新たに追加されれば、それ以前に準備した記事は差し替えるか、大幅に短縮せざるを得ません。このような場合、記事の後ろにある重要度の低い段落から順に切り捨てていきます。前述した締め切り時間と版の関係もあり、同じ記事であっても地域版と最終版では、記事の長さが異なることがあります。

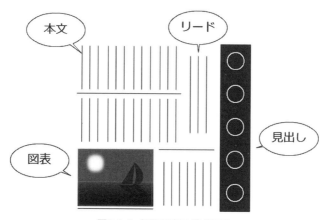

図2-3-2　新聞記事の構成要素

紙面レイアウトや掲載面の特徴

　紙面に占める記事の大きさは、新聞社がその記事をどの程度重要だと見なしているかによって決められています。ある出来事の発生から間もなく、本文に記載する情報がまだ十分にない記事であっても、重要度が高いと判断されれば大きな面積を占めるようになります。具体的には、見出しを大きくしたり、図表や写真とともに余白を入れたりして、その記事を目立たせます。

　新聞のページのことを面といい、面数（面名）やページ数で表示します。ある記事がどの面に掲載されるかは、基本的に内容によって決まり、例えば、海外ニュース記事は海外面、スポーツ記事であればスポーツ面に掲載されます。もっとも、非常に重要な記事の場合には、内容に関わらず新聞の表紙にあたる1面に掲載されます。その日に新聞社が最も重要だと考える記事は特に1面トップと呼ばれ、1面の題字（新聞のタイトル）の一番近くに大きく配置します。なお、1面は「一面」と表記することもありますが、説明文中では「1面」に統一します。

　このように新聞記事では配置、レイアウト、掲載面がその記事の重要性を示します。このため、有料データベースでは、ある記事の掲載面を結果に表示するとともに、配置やレイアウトを再現するためにPDFファイルとして表示する機能を用意しています。

【例題】米大統領が戦後初めて広島訪問した写真入りトップ記事を探す

　2016年5月、来日中の米大統領オバマ氏は広島を訪問しました。米国の現職大統領として初めての被爆地への訪問ということで大きな話題になり、訪問前から訪問後まで、多くの報道が続きました。これほど多くの報道があると、印刷物の新聞や縮刷版で一連の報道の中から特定の1記事を探すのは容易ではないので、データベースで記事を検索してみましょう。この報道は1年以上前であり、無料サイトの収録期間を過ぎているので、有料データベースを使用します。

　まず、朝日新聞の聞蔵Ⅱビジュアルで下記のように検索します。

　＜キーワード＞＝「米大統領 広島訪問」

　すると500件以上検索されました。検索結果のいくつかに目を通すと、オバマ氏の広島訪問日は、2016年5月27日であったことが判明します。ニュース性が高いのは広島訪問当日ですが、「写真入りトップ記事」を求めているので、広島訪問の翌日に1面に大きく掲載された記事であるとあたりをつけます。「詳細検索」画面で以下の条件で再検索をします。

　＜キーワード＞＝「米大統領」AND ＜発行日＞＝「2016年5月28日か
　　ら2016年5月28日」AND ＜面名＞＝「1総」

　詳細検索画面では、記事の掲載面を指定できます。＜面名＞でメニューから「一面」を選択すると、検索式に「1総」と設定されました。

　さて、ここで＜キーワード＞から「広島訪問」を除いたのは、この日の報道では米大統領の広島訪問に関する報道が多くなされており、文脈として記事に「広島訪問」という語を含まない場合もあると推測したためです。また、検索結果に表示された記事の見出しを見ると、「オバマ氏」「オバマ大統領」「オバマ米大統領」「米大統領」などの記述があります。あえて「米」という文字を抜いて、検索漏れを防ぐ方法も考えられます。

　読売新聞のヨミダス歴史館でも、ほぼ同様の検索ができます。まず、オバマ氏の広島訪問日を確認した上で、その翌日の記事を探します。ヨミダス歴史館では、面数指定ができないので、検索結果中から「面数」が「一面」のものを探し、該当記事を特定します。

　各データベースの使い方はヘルプやマニュアルを参照してください。

一連の報道を総合的に見たい

　他の国の新聞と比べて、日本における新聞では戸別宅配率が高いため、読者が以前の記事を読んでいることが前提として、記事内容が重複するの

を避ける傾向にあるといわれています。

　ある一連の報道があった時に、時系列上、その日の新聞記事にはその時点で判明した断片的な内容しか含まず、すでに前日以前に報道された事柄については、内容が大幅に省略されることも多くなります。

　ある一連の報道について総合的な情報を得るためには、新聞記事だけでなく、新聞社や通信社が発行している年鑑を調べることも有効です。

複数の新聞の記事を参照しよう

　複数の新聞の1面トップ記事を見比べると明らかですが、あるトピックについて、すべての新聞が同じ比重で記事を掲載しているわけではありません。意見の対立がある報道、特に政治に関係した報道は新聞社ごとに論調が異なります。そのため、複数の新聞社の記事を確認しないと、偏った立場の記事にしか目を通さないことになってしまいます。

　ここで紹介した大手の2大総合新聞である読売新聞と朝日新聞は、スタンスが異なる場合が多いため、公平な判断のためには、これら2紙を比較対照しながら利用すべきでしょう。

総合ニュース配信サイトで記事をまとめて読む

　複数の新聞社が配信している最近の新聞記事を、ざっとまとめて読みたい時は、総合ニュース配信サイトを使ってみましょう。例えば、以下のようなものがあります。

Googleニュース	https://news.google.co.jp/

　Googleニュースは、Googleが提供するニュース配信サービスです。各新聞社等が配信している記事を自動収集し、独自のアルゴリズムに基づいてレイアウトしています。登録したキーワードに関連したニュースが配信されるたびに通知をメールで受け取ることもできます。

> Yahoo! ニュース　　　　https://news.yahoo.co.jp/

　Yahoo!ニュースは、Yahoo! JAPANに登録した新聞社や雑誌社から提供される記事をまとめて配信しているサービスです。一部に各提供元では有料の新聞記事や雑誌記事がYahoo!ニュースでは無料で公開される場合もあります。

> 47NEWS（よんななニュース）　　　https://www.47news.jp/

　47NEWS（よんななニュース）は新聞社が共同で運営しているニュース配信サイトです。公式サイトによれば「47都道府県52新聞社のニュースと共同通信の内外ニュースを束ねた総合サイト」となっています。

リサーチ・ナビ「新聞をさがす」

　この節では大手総合新聞やニュースサイトを中心として新聞記事を探す方法を解説してきました。他の多くの新聞については、国立国会図書館の調べ方案内のページであるリサーチ・ナビを参考にしてみましょう。「トップ＞新聞をさがす」（https://rnavi.ndl.go.jp/shinbun/）も参考にしてみましょう。国内外の新聞の調べ方について、専門的なものから身近なものまで、分野ごとにさまざまな調べ方の案内があります。

新聞記事の書誌事項の書き方

　論文やレポートなどで新聞記事を引用する場合には出典を明示した方がいいでしょう。ただ、書誌事項記述の標準的な方法の１つである「SIST02（科学技術情報流通技術基準参照文献の書き方）」には、引用文献の書き方について、図書や雑誌論文とは異なり、新聞記事の書誌事項の書き方がありません。

　一般的には、新聞記事の書誌事項としては、執筆者（明示されていれば）、記事の見出し、新聞名、掲載年月日、朝夕刊の別（朝刊のみの場合

は不要）、面名（面数）があれば、ある新聞記事を特定できます。以下に
例をあげます。

核なき世界へ「勇気を」オバマ米大統領、広島演説　被爆者と言葉交
わす．朝日新聞．2016年05月28日, 東京朝刊, 1面（総合面）

　新聞記事を引用する際に、無料サイトやニュース配信サイトの記事の
URLを記述してある例をよく見かけます。しかし、これらのサイトの収
録期間は限られているので、引用時点ではアクセスできても短期間のうち
にリンク切れになる可能性があります。

　固定のURL（パーマリンク）が明記されていない限り、新聞記事の
URLは出典として使わず、できるだけ新聞紙面に掲載された元記事の書
誌事項を用いるようにしましょう。

まとめ
- 新聞記事の情報源には縮刷版、有料データベース、無料サイトが
  ある
- ある事柄について一連の報道がある場合、特定の1記事を見つける
  ことは難しい
- 政治などの報道については複数紙を参照する
- 一連の報道があった過去の事件については新聞記事だけでなく年
  鑑も有効である
- 最近の記事をまとめて見るには総合ニュースサイトも便利である

4 統計情報を探す

統計情報とは

　記事や調査レポートには、しばしば統計表やグラフが掲載されています。

　統計は、物事を客観的にとらえ、分析や主張を裏付けるのに役立つ重要な情報です。統計データは個人で収集して加工することもありますが、大規模な統計の場合は個人でデータ収集するのは困難なので、いずれかの公的機関が作成した情報を使うことになります。

　全国規模の統計は、政府の統計書の情報を利用できます。近年では、インターネット上の統計サイトに情報が公開されていて、MS-ExcelやCSV形式で原データを閲覧したりダウンロードして独自に加工したりできます。CSVとはComma Separated Valuesの略で、いくつかの項目（フィールド）がカンマで区切られており、テキストデータとしてもExcelデータとしても読み込むことができる汎用性のある形式です。

　通常、こうした専門のサイトはトップページに重要度の高い情報が掲載されています。サイトを開いたら、いきなり調べ始めずにサイトの構造がどうなっているのかを観察してみることが、必要な情報にたどり着く早道になります。また、統計情報の調べ方や活用方法を学べるサイトもありますので、合わせて参考にしましょう。

政府統計で消費支出の最近の動向を知りたい

> 総務省統計局　https://www.stat.go.jp/

　ニュースなどを見ていると、景気の変動に関する報道で、「消費支出が連続減少」や「消費支出の回復」といった言い回しがよく使われます。消費支出は景気を測る上で重要な影響を与えますが、実際にはどのような品目が、どのような数値を示しているのでしょうか。

　まず、政府統計の専門機関である総務省統計局のサイトを見てみましょ

う。統計局が実施している統計調査・加工統計及び総合統計書が公表されています。具体的には、国勢調査をはじめ、毎月末に発表される日本の人口や失業率、消費者物価指数（CPI）などが掲載されています。各種統計表はMS-Excel形式でダウンロードできます。

　該当する統計調査の名称や分野があらかじめわかっている場合は、調査名や分野別の分類をクリックしながら探せます。また、サイト内検索もあります。海外の政府統計、他の統計機関へのリンクや統計を学習できるページも充実しています。まずは、どんな情報があるのかトップページをじっくりと眺めてみましょう。

　では、消費支出を探してみます。消費支出は調査名「家計調査」に該当します。調査名がわかっていれば、メニューの「統計データ」の「分野別一覧」や「五十音順一覧」でたどるか、トップページ中ほどにある「家計調査」のボタンをクリックします。

　「家計調査」を選択すると、この統計の概要のページが表示されます。執筆時点の2020年9月現在では、下記のようなリンクがあります。

　　＜最新結果（二人以上の世帯）2020年7月分・時系列データ＞

　上記リンクの年月分をクリックすると「家計調査報告─月・四半期・年─」というページが表示され、消費支出の月次・四半期・年平均の支出や実収入の動向のポイント、関連する統計データや概要へのリンクが記載されています。

　サイト内検索を使うと、正式な調査名や用語がわからなくても、調査名の一部や項目名で検索できます。この場合は消費支出について知りたいので、「消費支出」や「支出」という単語で検索します。すると、上述の「家計調査報告─月・四半期・年─」のページを見つけられます。

　ところで、頻繁に利用されるような主要な統計データは、トップページの「最近の公表データ」に掲載されており、この欄に以下のように表示されています。

　消費支出-7.6%　（令和 2 年 7 月二人以上の世帯/前年同月比（実質））

　この文字がリンクになっていて、クリックすると上述の「家計調査報告
—月・四半期・年—」が開きます。

　このように、同じ情報でも何通りかのアプローチがあることがわかりま
す。特に重要な項目や新着情報は、トップページの目立つ部分に配置され
ています。バナーやボタンをクリックしたり、サイト内検索したりする前
に、トップページ全体を見るようにしましょう。また、サイト内に統計
データの定義や使い方の説明もありますので、利用方法やヘルプには必ず
目を通すようにします。

政府統計の総合ポータルサイト

政府統計の総合窓口（e-Stat）　　https://www.e-stat.go.jp/

　各府省や地方自治体でもそれぞれ統計データを作成し、インターネット
上で公開しています。ある統計を見たいが、それがどの府省の担当なのか
わからないという場合は、総務省の所管である独立行政法人統計センター
が運用している政府統計の総合窓口（通称e-Stat）を利用すると便利です。

　例えば、ここ数年でインバウンドと呼ばれる海外からの観光客の急増に
よる経済効果が話題となりました。実際、どのくらいの推移なのか概要を
調べたいと思います。統計を作成しているのは、どの府省でしょうか。海
外関係ならば外務省でしょうか、経済効果ならば経済産業省でしょうか。

　あるいは複数の府省で統計情報を出しているのでしょうか。政府統計の
総合窓口を見てみましょう。

　政府統計の総合窓口は、各府省が管理している統計をはじめ、日本のさ
まざまな統計を検索閲覧できる**ポータルサイト***です。

　トップページには主要な政府統計の一覧やキーワード検索があり、各種
統計の新着情報や、利用件数によるランキングが掲載されています。ま

た、他の統計機関へのリンクも充実しています。

> ＊ポータルサイトというのは、「入口」や「玄関」にあたるサイトという意味で、目的別に分類された大きなリンク集ともいえます。この場合は、さまざまな統計情報に関するWebページへアクセスできる入口となります。

　まず、どの府省の統計データがあるのか調べてみましょう。海外からの観光客は「訪日外国人旅行客」などといいます。トップページの「統計データを探す」にある検索ボックスで、＜キーワード＞＝「訪日外国人」として検索してみます。検索結果に「訪日外国人消費動向調査」という政府統計名と統計データのリンクが表示されます。統計名の脇にある「説明を表示」ボタンをクリックして「訪日外国人消費動向調査」の説明を見ると、担当機関が観光庁であることがわかりました。

　あらためて観光庁のサイトを見てみましょう。観光庁（https://www.mlit.go.jp/kankocho/）のトップページのメニュー「統計情報・白書」から統計情報のメニューを見ると「訪日外国人旅行者数・出国日本人数」や「訪日外国人消費動向調査」が見つかりました。調査の概要と、最新分を含め過去数年分の集計結果（Excelデータ）、報告書、プレスリリースなど、より詳細な情報が掲載されています。また、「出入国者数」のページから出典として日本政府観光局（https://www.jnto.go.jp/）へのリンクも見つかりました。

　政府統計の総合窓口では、選択した統計データを地図や図表に当てはめて、視覚的に理解しやすくする機能があります。さらに、ユーザ登録することにより、メールによる新着情報配信サービスや、指定した統計分野・統計調査のコンテンツを集めてユーザ専用のトップページを作成できる「マイページ」機能などが使えます。詳しい使い方は利用ガイドを参照してください。

リンク情報を活用する

　統計情報は、国内外のさまざまな団体がそれぞれの目的で作成していま

す。統計情報を探す際は、サーチエンジンでそのつど検索するのではなく、主題ごとにサイトをたどっていくのも有用です。個人や業界団体、図書館などが独自に作成しているリンク集も多くあります。

都道府県や国外の公的統計情報を探す

前述の総務省統計局や政府統計の総合窓口にはリンク集があります。各府省及び独立行政法人等、都道府県等、その他の国内統計機関、国際機関や外国政府の統計機関へリンクしています。

通常、海外の統計局は英語版を用意しているので、対応する用語がわかっていれば英語で調べられます。

民間統計を探す

企業や各種業界団体、民間調査会社が作成する統計を民間統計といいます。民間統計には公的統計よりも細かい項目の調査や、産業に関する統計が目的別に充実していることが多く、公的統計にはない分野の統計情報も調べられます。また公的統計を用いて独自の観点で分析しているものもあります。ただし、インターネット上の情報公開が少なく、入手が困難な場合もあります。

民間統計に関する大規模なリンク集はないので、業界の分野ごとに「○○協会」や「○○連合会」など業界団体のサイトを見つけ、そこで統計情報を探すことになります。

例えば、日本アイスクリーム協会のサイト（https://www.icecream.or.jp/）では1世帯あたりのアイスクリームの消費量や世界各国の1人あたりの年間消費量が調べられますし、日本自動車販売協会連合会のサイト（http://www.jada.or.jp/）では車種別の販売台数や登録台数が調べられます。

統計関係の図書を探す

> 総務省統計図書館　　https://www.stat.go.jp/library/

　総務省統計図書館は、内外の統計関係資料を所蔵する統計の専門図書館です。国立国会図書館の支部図書館として国会議員や行政・司法の各部門に対して図書館サービスを提供するほか、一般にも開放されています。図書・資料の閲覧や複写、統計相談もできます。

統計の基本から活用方法について知りたい

　総務省統計局では、統計を学ぶためのサイトを開設しています。総務省統計局のサイトのトップページから、児童・生徒向け学習サイトの「なるほど統計学園」や、先生や社会人向け学習サイトにリンクしています。政府統計の総合窓口にも、トップページのメニュー「リンク集」の「統計を知る・学ぶ」というリンクがあり、上述の「なるほど統計学園」や各都道府県における統計教育に関する取組の紹介などがあります。

　国立国会図書館の調べ方案内のページである「リサーチ・ナビ」には、国内外の統計について、専門的なものから身近なものまで、分野ごとに図書を含めたさまざまな調べ方の案内があります。例えば、「調べ方一般」の下位カテゴリに「統計情報」、「調べ方案内」の「経済・産業」の下位カテゴリに「統計を調べる」などがあります。

　ただし、統計情報は多岐にわたっており、調べ方も多様になります。実際は、「リサーチ・ナビ」のトップページ上部にある検索ボックスで、＜キーワード＞＝「統計」で検索すると、「調べ方」「本」「キーワード」「百科事典」のタブが表示されるので、目的やテーマに沿って統計の調べ方を見つけるのが現実的です。

統計情報利用上の注意点

　統計情報を利用する際は、いくつか注意する点があります。統計は、同

じ表題の統計情報であっても、時代を反映して調査項目が増えたり減ったり、様式や調査項目の定義が変わったりします。また、同じ調査項目でも国によって概念や定義、計量単位が異なることがあります。

　例えば期間については、年間といっても暦年（1月〜12月）か、年度（4月〜翌3月）かによっても違ってくるでしょう。日付の表記の仕方にも注意が必要です。自治体の合併や国や地域の情勢の変化によって統計の範囲が変わることもあります。<u>各統計サイトに記載されている解説をよく読むようにしてください</u>。

　統計データを引用・転載する場合には出典の明記が必要です。出典の表記についても、各サイトの利用上の注意を参照してください。

　また、すべての統計データがインターネット上で公表されているわけではありません。公的機関が作成した統計データであっても、印刷物でしか公表されていない場合もあるでしょうし、個人や研究者が独自で作成した非公開の統計もあるでしょう。

　以上に述べたような注意点に留意して、統計データを上手に活用しましょう。

まとめ
- よく使われる統計情報はトップページの目立つところにある
- 国内外のオリジナルのデータを見つけるようにする
- リンク情報を活用する
- 統計情報の定義に注意する

公的な資料、法律、判例を探す

公的な資料とは

　ここでは公的な資料とは、政府刊行物、法律、判例情報、行政情報、官報など、公的な機関が公表している情報を指します。行政情報には政策、統計・調査、白書・報告書、報道発表なども含みます。

　2000年に行政情報のWeb公開や利用促進をうたったIT基本戦略が策定され、2001年に国の行政機関が保有する資料を原則として公開することを定めた情報公開法が施行されました。このため、各府省や公的機関の情報公開が進んで公開資料が増え、一般市民もさまざまな公的資料を手に入れやすくなりました。

行政情報の総合ポータルサイト

> e-Govポータル　https://www.e-gov.go.jp/

　公的情報を調べるなら、一番に見ておきたいのがe-Govポータル（以下e-Gov）でしょう。これは総務省行政管理局が運営する行政情報の総合ポータルサイトです。行政情報の総合的な検索・案内サービス、法令検索、各府省へのオンライン申請・届出等の各種手続き案内があります。パブリックコメント（各府省への政策に関する意見・要望）の提出もできます。

　各府省・独立行政法人等の公式サイトや、各機関が提供している情報ページなどの大規模なリンク集があるほか、国民の関心が高いと思われるトピックの関連情報がトップページの目立つところに配置されています。

　このe-Govで閲覧できる代表的な公的情報をいくつか紹介しましょう。ここではPC用のインタフェースを前提とします。e-Govは数年ごとにサイトの更改が行なわれています。更改にともない各種リンクのカテゴリが変更される場合もあります。利用の際はサイト内検索やサイトマップも利用するようにしましょう。なお、2020年11月末にリニューアルし、名称も電

子政府の総合窓口（e-Gov：イーガブ）から現名称に変更されました。

法令を探す－法令検索

　まず、法令検索を見てみましょう。e-Govのトップページで「法令検索」を選択します。「法令名のみ」と「全文」のラジオボタンがあります。法令について調べるには「法令名のみ」を選択して検索ボックスに目的の法令名またはその一部を入力します。

　例として税理士に関する法律について取り上げます。税務の専門家である税理士は、税理士試験に合格するなど税理士となる資格を有した上で税理士登録をする必要があるそうですが、法律では具体的にどのように定められているでしょうか。

　検索ボックスに「税理士」と入力して検索すると該当 3 件となり、そのうち「法律」と表示された「税理士法」が求めている法律となります。法令名が全文へのリンクになっています。

　　税理士法　　昭和二十六年六月十五日法律第二百三十七号

　日付は公布年月日、番号は法律番号に当たります。法令名をクリックすると詳細画面となり、全文が確認できます。画面左のメニュー「沿革」を選択すると直近数年分の改正履歴が見られます。これ以前の分は、一番下にある「日本法令索引」と書かれたバナーをクリックすると、国立国会図書館の「日本法令索引」の該当ページが開き、改正履歴や関連情報へのリンクを閲覧できます。

　次に、「全文」ラジオボタンを選択すると、指定した語を含む法令を横断検索できます。法令名と法令番号が一覧表示され、法令名をクリックすると該当の法令が表示されます。ちなみに「税理士法」で検索すると、該当件数は約100件となり、多岐にわたる法令の文中に出てくることがわかります。その他、詳細検索は公布日を指定したり、その法令の分類や法令番号がわかっている時に便利です。

判例を探す

　「政府機関関連情報」の「国会、裁判所等」にある「裁判所」を開き、「裁判例情報」の検索ができます。まとめて検索する「統合検索」のほか、「最高裁判所判例集」「高等裁判所判例集」「下級裁判所裁判例速報」「行政事件裁判例集」「労働事件裁判例集」「知的財産裁判例集」のタブを切り替えて、それぞれ個別の検索ができます。

　「最近の裁判例」では、最高裁判所判例集と下級裁判所裁判例速報は過去３か月以内、知的財産裁判例集は過去１か月以内の各判決等の一覧が表示されるので速報性があります。

　では、実際に裁判例の検索方法を見ていきましょう。例として、模倣品による著作権侵害を認めるか否かが争点となった「木目化粧紙原画事件」という事件を検索してみます。

　著作権に関わる裁判なので、「知的財産裁判例集」のタブを選択します。＜裁判所名＞は特に指定せず、＜権利種別＞で「著作権」を選択します。財産権に関する紛争なので、＜訴訟類型＞は「民事訴訟」とします。検索語を入れる＜全文＞に事件の一部である「木目化粧紙」と入力して検索すると、該当２件のうち、下記がより新しい裁判例です。画面右側に表示されている「全文」の文字をクリックするとPDFファイルが表示されます。

　　知的財産裁判例　「平成２（ネ）2733　著作権　民事訴訟

　　　　　　　　　平成３年12月17日　東京高等裁判所」

　上記の「平成２（ネ）2733」は、事件番号です。「ネ」は民事控訴事件を示す符号です。これらの符号が何を示すかは、画面右上にある「各判例について」というヘルプに説明があります。「使い方」も併せて参照しましょう。ただし、ここで検索できる裁判例情報は、個人情報に配慮して固有名詞を記号に置き換えたり、表示されない文字があったりするので注意が必要です。また、すべての裁判例が掲載されているわけではありません。

行政機関等のWebサイトを探す

「国の行政機関」「独立行政法人」

　「政府機関関連情報」の「国の行政機関」は府省や委員会など国の行政機関のWebサイトが一覧できます。「独立行政法人」は国の行政機関の所管ごとに独立行政法人のWebサイトが分類されています。トップページ上部の「行政機関横断検索」で検索もできます。

　各府省や独立行政法人の公式サイトではそれぞれ政策や国民の生活に役立つ情報を提供しており、それ自体が各管轄分野のポータルサイトともなっています。

　例えば、健康や労働の情報は、厚生労働省のサイトでテーマ別に探せますし、海外の渡航や安全情報などに関しては、外務省のトップページから「海外渡航・滞在」を参照するとよいでしょう。消費者庁のサイトでは消費者問題や相談窓口に関する情報が提供されています。国の政策や国全体の行政情報に関しては、内閣府や首相官邸のサイトで調べられます。

　また、各府省・独立行政法人等のWebサイトの多くに子ども向けのページ（キッズページ）が開設されています。府省や機関の業務内容をカラフルなイラストやクイズ形式で解説されていて、大人が概要をかいつまんで理解するのにも役立ちます。

「地方公共団体」

　地方公共団体（地方自治体）のWebページの一覧を見られます。都道府県、政令指定都市等、東京特別区の別に、各地方公共団体の公式ページにリンクしています。地方公共団体情報システム機構（J-LIS）が運用している「全国自治体マップ検索」へのリンクもあります。「全国自治体マップ検索」は地方公共団体へのリンク一覧です。各団体の URL とキャッチフレーズも掲載しています。

刊行物・公表資料を探す

　刊行物・公表資料についても各府省による公開情報に関するWebサイトへのリンクがあります。「法令・くらしの安心」の「所管法令・告示・通達」には、各行政機関がWebページで公開する法令、告示、通達等へのリンクがあります。また、「政府について」では、白書等や統計、その他政府機関に関する様々な公開情報へのリンクがあります。各行政機関のWebサイトを経由しなくても直接アクセスできます。

首相官邸（内閣官房広報室）

> 首相官邸ホームページ　https://www.kantei.go.jp/

　首相官邸ホームページは、内閣官房の広報業務を担う内閣広報室が運用しています。内閣の重要政策に関する広報や緊急事態時の政府の取組情報、国全体の政策、首相官邸からの情報などの発信を行なっています。また、各種ソーシャルメディアによる情報発信のリンクがあります。

　ここでは、インターネットで公開されるインターネット版官報（https://kanpou.npb.go.jp/）と日々の生活に関連の深い政府広報オンライン（https://www.gov-online.go.jp/）について紹介します。

インターネット版官報

　本来は印刷物の官報がWebで見られるサイトです。憲法や法令は、内閣官房により法令公布の機関紙である官報に掲載されて「公布」されることにより、初めて法的な効力が発生します。官報は、行政機関の休日を除き毎日発行されます。

　インターネット版官報は、直近30日間分の官報情報（本紙、号外、政府調達等）のすべてと、平成15年（2003年）7月15日以降の法律、政令等の官報情報と、平成28年（2016 年）4月1日以降の政府調達の官報情報を、PDFデータで無料閲覧することができます。原則として印刷物の官報と

同内容が掲載されていますが、コンピュータで表示できない文字などもあるため、内容の正確性を問う場合は印刷物の官報を確認する必要があります。

　トップページから本日の官報と直近30日分を無料で閲覧できます。日付ごとに本紙、号外、政府調達などあり、クリックするとこの官報の目次が表示されます。リンクをクリックすると印刷物と同じ体裁のPDFファイルが表示されます。ページ指定もできます。詳しい利用については、ヘルプの「ご利用にあたって」を参照してください。

　トップページには有料の「官報情報検索サービス」のバナーがあります。「官報情報検索サービス」は、1947年5月3日（日本国憲法施行日）分から直近までの官報の内容を、日付または日付と記事のキーワードで検索・閲覧できます。

　官報についての詳細はトップページにある「官報について」を参照してください。

政府広報オンライン

　内閣府大臣官房政府広報室が運営する政府広報オンラインでは、日常生活に直結する行政情報をわかりやすく知りたい時に使えます。国の政策・施策・取組の中から、暮らしに身近な情報や役に立つ情報がわかりやすくコンパクトにまとまっています。

　日常生活に関する行政情報を知りたいけれど、上記で説明した各府省のサイトや出版物では少し専門的すぎたり難解すぎたりする場合は、政府広報オンラインを利用するといいでしょう。動画やイラストも交えてわかりやすい平易な文章で解説されています。

　利用方法もシンプルで、主題別の大きなカテゴリや対象者層別、もしもに備えての場合別に、必要な情報を絞り込めます。

　例えば、高齢者向けのカテゴリでは、年金や健康に関する情報のほか、高齢者を狙った詐欺や事故への対処方法など、高齢者の暮らしに役立つ情報がわかりやすくまとまっています。各ページは印刷やSNSでのリンクが

しやすくなっていて、他の人へ情報を伝えるために複数の手段が用意されているのも便利です。

政府刊行物の調べ方

　政府機関や地方自治体およびその類縁機関、国際機関が編集・発行した刊行物は「政府刊行物」となります。印刷物の政府刊行物は、全国官報販売協同組合（https://www.gov-book.or.jp/book/about.php）が流通を担っています。全国官報販売協同組合は、その名の通り官報のほか、各種白書、統計書、法令解説書、建築仕様書、各種政府刊行物を販売しています。全国各地の官報販売所や Web 上の通信販売で検索および購入できます。

　ただし、Web 上で公開されていない政府刊行物は数多くあります。また、白書はタイトル等の変遷が頻繁にあるので注意が必要です。その他にも、公開はしているが流通経路が整っていないために、一般からは入手しにくい灰色文献と呼ばれる資料もあります。Web上ですべての資料が入手可能ではないことに注意しましょう。

　国立国会図書館の調べ方案内のページであるリサーチ・ナビの「政治・法律・行政」には、国内外の機関の資料について、図書を含めたさまざまな調べ方の案内があります。併せて参照してみてください。

まとめ

・公的情報は、Web上で広く情報公開されている

・リンク集をたどることでさまざまな資料を幅広く探せる

・印刷物の資料も併用するようにする

情報検索　応用編

1 転置索引ファイル

検索語と索引

　例えば京都か奈良の名所を探したい時、「京都」「奈良」「名所」などといった語を検索ボックスに入力して検索するでしょう。このような検索の際に使われる言葉のことを**検索語**といいます。

　検索システムは、データベースに収録されたレコードを照合していき、入力された検索語にマッチするレコードを抽出してきます。検索対象となる文書からマッチする語を探す際に、先頭から順番に探していく方法を**逐次検索**といいます。MS-Wordなどの文書内の検索やWebページのページ内検索のような比較的小規模な文書を対象とした検索は、逐次検索で行なわれます。しかし、大規模なデータベースやサーチエンジンのような大規模な対象に逐次検索をすると非常に時間がかかり、どれだけ時間をかけても検索が終わらなくなってしまいます。

　そこで、大規模なデータを対象に検索する場合には、検索のための中間的なファイルを作成し、処理の高速化を図ります。このような検索用のファイルのことを**転置索引ファイル**と呼びます。転置索引ファイルでは図

ID	タイトル	著者
001	風の歌を聴け	村上春樹
002	あなたへの歌	楊逸
003	風のかたみ	福永武彦
004	烈風のレクイエム	熊谷達也

あなた	002
かたみ	003
レクイエム	004
歌	001, 002
風	001, 003
烈風	004

図3-1-1 転置索引ファイルの例

101

3-1-1のように、見出しとなる索引語とその語が出現する文書のIDが記録されています。そして、検索の際にはあらかじめ切り出された索引語に基づいて検索することで、逐次検索に比べて高速な検索が可能になります。

　転置索引ファイル作成のためには、そこに収録する索引語を抽出する必要があります。英語などの場合はほとんどの語が空白（スペース）で区切られますので、スペースの区切りで単語を抽出することができます。一方、日本語のように語同士の間に区切りのない、いわゆる膠着語の場合は、そうはいきません。そこで、文字列から自動的に索引語を抽出する方法を考えなければなりません。

　日本語から自動的に索引語を切り出す方法には、形態素解析とNグラムの2つの方法があります。形態素解析は日本語の文法に基づいて語を切り出す方法で、Nグラムは文字数に基づいて機械的に切り出す方法です。詳しくは第Ⅲ章2「形態素解析とNグラム」で説明します。

ストップワード

　ところで、索引語として切り出された語の中には、あまりにありふれていて検索しても意味がない、あるいは検索結果が多くなりすぎて検索システムにとって高い負荷になってしまう語があります。例えば、英語の場合は冠詞の「a」や「the」、前置詞の「of」や「in」などがそのような語に該当します。このような検索にあまり望ましくない語を検索システム側であらかじめ索引語から除外することがあります。検索に使われない語のことを**ストップワード**といいます。

　どの語をストップワードとするかは、それぞれの検索システムで異なります。冠詞や接続詞、次項で述べる検索用の演算子とも重なる「and」や「or」、「｜」や「）」などの記号は、よくストップワードに指定されます。

　このようにして作られた転置索引ファイルによって高速な検索が可能になります。ただし転置索引ファイルに収録されていない語は検索できないことに注意が必要です。

2 形態素解析とNグラム

形態素解析

　形態素解析とは『図書館情報学用語辞典 第5版』（丸善）では「文を、意味をもつ最小単位である形態素に分割し、品詞や活用、見出し語などを判別・付与する処理」と定義されています。簡単に表現すると、文字列を文節のより細かいものに分け、それぞれに品詞やヨミ、活用形などを付与します。

　形態素解析は複雑なアルゴリズム・ルール（処理の手順）と、切り出しの元となる語を含んだ辞書などに基づいて実行されます。形態素解析を行なうためのプログラムは、さまざまな種類が開発されています。ここでは、MeCabによる形態素解析の例を図3-2-1に示しました。

Nグラム

　より単純な方法に**Nグラム**があります。Nグラムは、対象の文字列をn字の文字ずつに区切っていく方法です。例えば、「隣の客はよく柿食う客だ」という文字列に対して、「隣の」「の客」……「客だ」というように文字列を機械的に同じ文字数ずつで切り出していきます。

　何文字単位で切り出すかによって呼び名が異なり、1文字ずつ切り出す

```
隣     名詞,一般,*,*,*,*,隣,トナリ,トナリ
の     助詞,連体化,*,*,*,*,の,ノ,ノ
客     名詞,一般,*,*,*,*,客,キャク,キャク
は     助詞,係助詞,*,*,*,*,は,ハ,ワ
よく   副詞,一般,*,*,*,*,よく,ヨク,ヨク
柿     名詞,一般,*,*,*,*,柿,カキ,カキ
食う   動詞,自立,*,*,五段・ワ行促音便,基本形,食う,クウ,クウ
客     名詞,一般,*,*,*,*,客,キャク,キャク
だ     助動詞,*,*,*,特殊・ダ,基本形,だ,ダ,ダ
```

図3-2-1　MeCabによる形態素解析の結果

103

表3-2-1　形態素解析とバイグラムの比較

方　法	切り出される語
形態素解析	「スキル」「アップ」「！」「情報」「検索」
バイグラム	「＾ス」「スキ」「キル」「ルア」「アッ」「ップ」「プ！」「！情」「情報」「報検」「検索」「索＄」

＊＾は行の先頭を、＄は行の末尾をそれぞれ示しています

場合をユニグラム、２文字ずつの場合をバイグラム、３文字ずつの場合をトライグラムと呼びます。

　このように、Ｎグラムは形態素解析と異なり文法や語がもつ意味は考慮しませんが、機械的に実行できるためシステムへの負荷はあまりありません。

形態素解析とNグラムの比較

　同じ文字列に対して、形態素解析とＮグラム（バイグラム）でどのような文字列が切り出されるか見てみましょう（表3-2-1）。一見して、形態素解析は意味のわかる語が多い一方で、バイグラムは「ルア」「プ！」など人間にとっては意味のない文字列が切り出されている印象を受けると思います。

　Ｎグラムのほうが多くの文字列が切り出されることになりますので、検索結果も多くなる傾向があります。より網羅的な検索になる一方で、検索ノイズが多くなる可能性もあります。

まとめ
・語を自動的に切り出す方法によって検索結果も変わってくる

---

3 忘れられる権利

Web上での個人情報流出の怖さ

　スマートフォンが普及し、写真や動画をWebやSNS（以下、Web）に簡単にアップロードできる時代となりました。いったん、アップロードされた写真、動画、文章などはデジタルデータであるため、その複製はとても容易です。さらに、誰かの個人情報を暴くのが好きな人もいます。そのため、誰かの個人情報が流出し、それが何らかの関心を集めると瞬く間に、その情報が複製され、広く拡散します。

　また、たとえ誤った情報であったとしてもそれを訂正したり、削除したりする方向にはなりません。インターネットの普及以前はこのようなことがあっても、拡散までに時間がかかり、拡散した頃には世間の関心を失うなどで大きな問題とはなりませんでした。しかし、Web上では情報の拡散が極めて短時間に広範囲に起こります。

　その意味で、一度流出してしまった個人情報は、拡散し続け、いつまでもなくならないこと（いわゆるデジタルタトゥー）が社会問題になってきました。このような背景から、近年、議論が始まったのが「**忘れられる権利**」です。

「忘れられる権利」とは

　「忘れられる権利」とは本来の意味ではWeb上に流出した個人情報を、プロバイダやWebサイトの管理者に削除してもらう権利です。ただし、一度流出した個人情報は広く拡散してしまうため、あまりに多くのサイトへの削除依頼は現実的ではありません。削除と拡散はいたちごっこになり効果的な対策は望めません。

　一方、Web上で情報を探す行為の多くがサーチエンジンから始まるため、サーチエンジンから特定のキーワードを削除したり、特定のキーワードそのものを削除したりすることは、流出した個人情報に多くの人々から

のアクセスを防ぐ有効な手段です。そのため、現在、議論が進められている「忘れられる権利」はサーチエンジンから特定の個人情報を削除してもらう権利となっています。Googleなど大手のサーチエンジンでは削除依頼の方法を受けつけています。

日本と欧州での「忘れられる権利」

　「忘れられる権利」について日本では2015年から2017年にかけて裁判が行なわれました。Googleで、ある個人名で検索すると、その人の過去の逮捕歴が出てくるのを削除したいというものでした。この裁判は、最初の地裁では「忘れられる権利」を明示した判決がされ、注目を集めました。最終的には最高裁で、「本件事実を公表されない法的利益が優越することが明らかであるとはいえない」ことから検索結果からの削除は認められませんでした[1]。このように「忘れられる権利」について、日本では権利として認めるかどうかも含めて、いまだ議論の段階といえます。

　一方で、EU議会では2016年4月に「一般データ保護規則（General Data Protection Regulation）」を可決し、その中で「忘れられる権利」について「データ主体は自らに関する個人情報を削除してもらう権利をもち、管理者は遅滞なく削除する義務を負う」と明記しています。

> **まとめ**
> ・Web上に流出した個人情報は半永久的に拡散し続ける
> ・「忘れられる権利」とはサーチエンジンから削除してもらう権利
> ・欧州ではすでに認められている権利であるが、日本ではいまだに議論がされている状況である

1：投稿記事削除仮処分決定認可決定に対する抗告審の取消決定に対する許可抗告事件
https://www.courts.go.jp/app/hanrei_jp/detail2?id=86482

4 リンク・リゾルバ

メディアの多様化と検索

　印刷物の資料が主流だった頃は、OPACをはじめとして文献データベースを利用して図書や雑誌論文など資料の現物を手に入れるために、図書館での資料が実際に置かれている場所に足を運ぶ必要がありました。メディアが多様化した現在では、現物での提供に加えて、デジタルデータでの配信も増えてきています。例えば雑誌論文を探す場合には、印刷版の現物に加えて、電子ジャーナルに掲載されたもの、また同じ論文の全文データが複数のプラットフォーム（サイト）に掲載されるというようなことがあり、以前よりも入手手段が複雑になっています。さらにその中でも、契約期間などによって、利用できる場合と利用できない場合などもあります。

　同じ資料に複数の入手手段がある時に、自力でそれぞれ入手できるサイトを憶えておき、その場その場で適切なサイトに移動し検索し直すことは、手間がかかりますし簡単なことではありません。

リンク・リゾルバとは

　そんな時に役に立つのが**リンク・リゾルバ**です。直訳すると「リンクを解決するもの」といった意味合いです。**OpenURL**という技術で、データベースから、電子ジャーナルのサイトやOPACを改めて検索しなくても、直接情報資源を提供するページへと繋げる機能を提供します。リンク・リゾルバは、データベースと情報資源との間の中間ページとなります。ユーザは、提示された入手手段の候補からアクセスし易いものを選択し、必要な情報資源に簡単にアクセスできるようになります。

リンク・リゾルバの使い方

　リンク・リゾルバはOPACやデータベースの検索結果や詳細画面に表示されます。図3-4-1は、NDL ONLINEでの例です。点線部分がリンク・リ

ゾルバへのリンクです。

図3-4-1　リンク・リゾルバへのリンク

　リンクをクリックすると、図3-4-2のような画面が開き、本文のファイル
を配信しているサイトへのリンクと、その他のデータベースでの所蔵情報
を直接見ることができるリンクを表示します。

図3-4-2　リンク・リゾルバの例

　大学図書館では電子ジャーナルを多く提供しているためOPACや各種
データベースでリンク・リゾルバが活用されています。Google Scholar
での全文ファイルへのリンクもリンク・リゾルバの一種です。リンク・リ
ゾルバを活用して、スムーズに最適なページにアクセスしましょう。

まとめ
　・リンク・リゾルバとは情報源のありかへ直接案内してくれるもの

5 まとめて探す？　個別に探す？

まとめて探す

　ここまで、図書ならば図書、雑誌記事ならば雑誌記事というように特定の資料種別に関してそれぞれに特化したデータベースを利用して個別に検索する方法を学んできました。これは、それぞれの資料種別の特徴を理解した上で、検索した方が効果的な検索ができるからです。しかし、そもそも検索のための手がかりがあまりなく、手始めになんでもいいから情報が欲しい場合には、まとめて探せた方が効果的な場合もあります。

　図書館でも、単に所蔵資料を探すだけでなくWeb上にある文献を探すことが増え、使用するデータベースも多様化してきました。その一方で、手軽なサーチエンジンの検索方法に慣れた利用者も増加しています。こうしたことから、見つけやすさを優先して、さまざまなデータベースを1つのサービスでまとめて検索できるシステムが作られています。これがいわゆるディスカバリーサービスです。

ディスカバリーサービス

国立国会図書館サーチ　　　https://iss.ndl.go.jp/

　国立国会図書館が提供している国立国会図書館サーチ（通称NDLサーチ）はディスカバリーサービスの1つです。NDLサーチでは、NDLの蔵書はもちろん、雑誌記事索引、ゆにかねっと、レファレンス協同データベースなどNDLが提供しているさまざまなデータベースを一元的に検索できます。さらに、CiNii ArticlesやJ-STAGE、各地の図書館が作成しているデジタルアーカイブのデータなどもまとめて検索できます。

　また、NDLサーチでは、同じ内容をもった資料をグループ化して表示するなどの機能ももっています。検索結果をこの属性ごとの集計を示すのがファセット検索です。ファセットとは、本来宝石の断面を意味する言葉

ですが、図書館では、資料・情報のもつさまざまな属性のことを意味します。例えば、本書の場合は、「図書」という資料種別で、情報検索という主題をもって2020年に出版され…というようにさまざまな属性に分けて、とらえることができます。

　検索結果が大量に表示された場合でも、横に表示された「資料種別」「出版年」「分類」などのファセットから思いついたものを選択していくことで、情報要求に合ったものを絞り込んでいくことができます。

　ディスカバリーサービスは、統合検索やファセット検索に加えて、検索結果の適合度順出力、類似・重複レコードのグループ化、リンク・リゾルバによるナビゲーション機能などを備えています。NDLサーチ以外のディスカバリーサービスとして、九州大学附属図書館の「世界の文献」や筑波大学附属図書館の「Tulips Search」などがあります。

ディスカバリーサービスの注意点

　ディスカバリーサービスに対して、従来の検索システムに慣れた利用者からは、検索結果が多くなりがちなこと、検索結果の順番が利用者の直感に反する場合があることなどから、使いにくさが指摘されることもあります。

　検索対象がはっきりしている場合は、従来のデータベースを使用し、曖昧な場合はディスカバリーサービスを使ってニーズを明確にしていくなど使い分けの工夫が必要です。

> **まとめ**
> ・ディスカバリーサービスでさまざまなデータベースをまとめて検索することができる

6 引用文献検索

引用と引用文献検索

　学術用語や専門用語が多い学術的な文献を検索するために、適切な検索語が思い浮かばない場合はどうすればいいでしょうか。そんな時は文献間の関係を利用して検索する方法があります。

　学術論文を書く際に、著者はこれまでに発表されてきた文献（先行研究）を引用します。過去に発表された論文から発想や表現を借りたことを示したり、既往研究を批判したりするためです。これによって論文同士の間に引用関係が形成され、引用関係は下図のように示すことができます。

　ここで、文献Aは文献Bと文献Cを引用しています。文献Bと文献Cから見ると、文献Aは被引用の関係になります。この時、共に同じ文献Aから引用された文献Bと文献Cは**共引用**の関係になります。

　一方、1つの文献が複数の文献から引用されることもあります。共に同じ文献を引用している文献Dと文献Eは**書誌結合**の関係になります。

　引用によって文献の重要度を測ることもできます。多く引用されている文献は、その分野での重要な文献や基本的な文献とみなすことができま

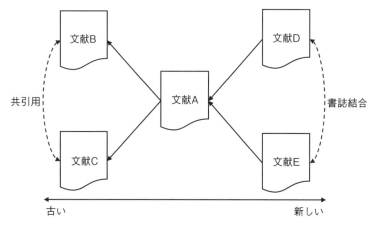

図3-6-1　論文間の引用関係

す。Googleが検索結果の順位付けにリンクされた数を用いていることも、同じ考え方に基づいています。

　各文献には引用文献リストが記載されています。その引用文献リストを蓄積したデータベースがあれば、1つの文献を起点として、引用文献や、その文献を引用している文献（被引用文献）を検索することできます。このような文献同士の引用関係を用いた検索を**引用文献検索**と呼びます。

引用文献索引データベース

　引用文献検索のためのデータベースが引用文献索引です。クラリベイト・アナリティクス社の**Web of Science**は代表的な引用文献索引データベースです。2004年にリリースされたエルゼビア社の**Scopus**も引用文献索引の1つです。これらのデータベースでは、通常の検索・引用文献検索に加えて、グラフ作成など検索結果の可視化の機能も充実しています。

　CiNii Articlesでも、NII作成の「引用文献索引データベース」のデータを元に引用文献検索が可能です。ただし、収録対象誌数は2012年時点で1,748誌と、他のデータベースに比べてかなり限定的です。

　Google Scholarでは、無料で引用文献検索が可能です。Google Scholarの検索結果から「引用元」のリンクをクリックすると、その文献を引用している文献のリストを見ることができます。

　それぞれのデータベースで採録対象になっている雑誌は異なるので、検索結果や引用数を比較する際には注意が必要です。

> **まとめ**
> ・引用文献索引を使うと文献同士の引用関係を使った検索ができる

 **査読論文**

査読制度

　一般雑誌に掲載される記事は、雑誌の編集者が執筆したりプロのライターに依頼したりすることで、一定の水準に仕上げられています。一方、著者からの投稿論文から成り立っている学術雑誌は、どのようにして掲載論文の質を保証しているのでしょうか。学術雑誌において、掲載論文の質を保証し、信頼性を支えているのが**査読制度**です。

　査読制度とは、投稿論文に対して審査員となる査読者が内容を吟味し、掲載の可否を審査する仕組みです。査読制度のある雑誌論文は、信頼性が高いといえます。雑誌の編集委員は、同じ分野や領域、または同じような手法を用いて研究をしている研究者に査読を依頼します。同業の専門家による査読のことを**ピア・レビュー**（peer review）と呼びます。

　さて、投稿された論文のうち査読を通った論文数を示す数字に、採択率があります。例えば、総合的な科学雑誌である*Nature*の採択率は、８％程度といわれています。査読の厳しい雑誌は採択率が低くなり、当然、査読のゆるい雑誌は採択率が高くなります。研究者の業績についても、査読の厳しい雑誌に掲載された方が高く評価されます。

　査読制度の種類は、**シングルブラインド**と**ダブルブラインド**に大別されます。前者は、著者は査読者が誰かはわからないが査読者には著者がわかる場合を指し、後者は、著者も査読者もお互い誰かわからない場合を指します。前者は、査読者の私情が入る可能性は否定できないため、信頼性が高いのは後者の方といえます。ただし、内容から著者が推測できてしまいがちなので、その効果が薄い分野もあります。また、著者、査読者とも相手が誰かがわかるオープン・ピア・レビューといった試みもあります。

　査読は、内容の妥当性や独自性や新しさを評価しますが、一般的には、査読者が論文で示された結果を再現するようなことはありません。査読者が論文の記述に特に問題を認めず査読を通すと、仮に内容が正しくなくて

も受理されてしまうこともあります。少し前に話題になったSTAP細胞問題はその一例といえるでしょう。

分野による査読制度の状況の違い

　査読制度は自然科学分野での慣行であり、人文科学分野（文系）分野では一般的ではありません。例えば、文学研究の論文を検索する際に査読の有無を基準に絞り込むと、対象となる論文がかなり限定されてしまう可能性があります。また、社会科学分野では、研究の厳密さを重視する傾向から、厳しい査読を課す雑誌も増えてきています。

　分野によっては、学会発表論文に対しても厳しく査読したり、業績として雑誌論文よりも学会発表を重視したりする場合もあります。学術文献を検索する際は、このような分野の特性も考慮するようにしましょう。

査読論文の検索

　J-STAGEの詳細検索には＜査読有無＞のフィールドがあり、査読制度のある雑誌に限定して論文を検索できます。CiNiiには、査読の有無を表すフィールドはないので、査読制度のある雑誌を把握した上で、＜刊行物名＞で雑誌を限定して検索する必要があります。

　海外の専門的なデータベースでも査読の有無で限定できるものがあります。それぞれのデータベースで表現は異なりますが、＜Peer Reviewed＞などと示されたボックスをチェックするといいでしょう。

まとめ
・学術雑誌に掲載される論文は、査読によって質の審査がされている

---

8 「調べ方案内」を活用する

上手な調べ方をお手本にしよう

　調べ物の方法に困った時や、よりよい情報源を見つけたい時は、図書館の「調べ方案内」のサイトを参考にしてみましょう。情報の探し方のプロである図書館員が、日々の調査業務の中で培ったノウハウを生かして情報の探し方や情報源についての解説したもので、「探し方ガイド」などの別の呼び方もあります。次々と新しい事例が更新され、こんな調べ方や情報源があるのかと感心すると同時に、世の中にはこんな疑問をもつ人がいるのかと、その旺盛な好奇心に刺激されるかもしれません。

　国立国会図書館のリサーチ・ナビやレファレンス協同データベースは、その代表的なサービスですが、各図書館が公開している「レファレンス事例集」や、主題別に調べ方の道筋を案内する**パスファインダー**（pathfinder）などもあります。これらの「調べ方案内」で使う情報源はWebの情報源やデータベースとは限らず、印刷物も含みます。

国立国会図書館リサーチ・ナビ　https://rnavi.ndl.go.jp/

　国立国会図書館の「リサーチ・ナビ」は、職員が業務の中で有用と判断した図書館所蔵資料、Web情報源、各種データベースなどを、特定の主題や資料群別に紹介しているサイトです。収録範囲は、国会や立法に関する資料の他、科学技術や経済など幅広い分野にわたっています。

　「調べ方案内」の他、国立国会図書館の各専門室が所管の情報源や資料群を紹介する「専門室のページ」や「テーマ別データベース」などがあります。リサーチ・ナビのトップページの検索ボックスでは、調べ方や情報源について検索することもできますが、サイト全体の構成を見るにはサイトマップを参照するといいでしょう。

　また、上記の検索ボックスで＜キーワード＞＝「パスファインダー」で検索すると、検索結果の中から、国立国会図書館のパスファインダー

や、各公共図書館が作成したパスファインダーへのリンクをまとめた「公共図書館パスファインダーリンク集」を見つけることができます。通常のパスファインダーは、ある主題に関しての情報源を、入門的なものから専門的なものまで段階を追って紹介しています。

国立国会図書館レファレンス協同データベース
　　　https://crd.ndl.go.jp/reference/

　国立国会図書館のレファレンス協同データベースは、国会図書館が全国の公共図書館、大学図書館、専門図書館などと協同で構築しているデータベースです。内容は利用者から寄せられた質問の事例や情報源で、参加している各図書館が日々登録しています。データベースは一般に公開されています。

　主なコンテンツとしては、「レファレンス事例」「調べ方マニュアル」などがあります。トップページには簡易検索の検索ボックスがあり、さらに詳細検索へのリンクがあります。また、トップページ内に公式Twitterへのリンクがあり、各図書館が登録した新しい質問やイベントに関する情報発信を見ることができます。

　調べ方案内やレファレンス事例は、上記で紹介されている以外にも、大学図書館や各図書館のWebサイトで独自に作成・公開されていることもあります。自身でも検索したりリンクを辿ったりしてみましょう。

まとめ
・調べ方案内サイトで上手な調べ方や有用な情報源がわかる

---

⑨ Webの検索に向かない情報

ググっても見つからない情報がある

　情報を調べる行為を、Googleをもじって「ググる」と言ったりするように、私たちはすべての情報はWeb上で簡単に検索できるように思ってしまいがちです。そして、Web上に見つからないとあきらめてしまうこともあります。

　時には、40年ぐらい前のテレビCMや誰かの日記など、こんなものまで見つかるのかと思う情報もあれば、つい身近なトピックなのに案外見つからないものあるでしょう。そもそも、Web上に何かの情報が自然に存在することはありません。情報というのは、何らかの意図をもって発信するものなので、誰かがわざわざその情報をWeb上にアップロードしなければ、その情報は埋もれたままになります。

　また、サーチエンジンでは、Web上の情報に索引をつけて検索できるようにしていますが、第Ⅰ章4「サーチエンジンの使い方」で解説したように見つけ出しにくい情報もたくさんあります。個々の情報が整理されて体系化されていないので、何が見つかるかは保証されていません。Web上にあったとしても、いつの間にか消えてしまった情報も多くあります。現時点で、Web上で閲覧可能な情報はほんの氷山の一角ともいえるでしょう。

古い情報は見つけにくい

　インターネットが一般に普及してから、およそ四半世紀が過ぎました。現在では、リアルタイムで手軽に情報をWeb上にアップロードできますが、普及当初は情報の加工やアップロードに知識や手間が求められました。また、その時点でWeb上にない過去の情報は、遡ってアップロードする必要があります。

　1980年代半ばにPCが普及して、さまざまなものがデジタルデータとし

て記録されるようになりました。これを**ボーンデジタル**（born digital）といいます。しかし、それ以前の記録となると、アナログデータからデジタルデータに変換する必要があります。変換や遡及入力のコストを考えると、優先度が高いと判断された情報以外は置き去りにされてしまうでしょう。

　例えば、江戸時代末期以降の肖像画を見るには、国立国会図書館の近代日本人の肖像（https://www.ndl.go.jp/portrait/）というサイトがありますが、掲載されているのは近代日本形成に影響力が大きかった約600人分です。それ以外の人々の肖像写真や、功績があっても肖像写真が残っていなければ、Web上で閲覧することはできません。

　閲覧可能な古い情報は、ある時点で価値があるとみなされて、淘汰されなかったもの、Web上にアップロードできる形態のものといえます。

書籍や論文の中身は見つけにくい

　書籍や論文の中身も、Web上で閲覧しにくいものの例です。文献データベースを利用すれば、簡単に見つかるものもありますが、全体的に見ればごく近代のほんの一部の情報ということになるでしょう。

　また、さまざまな配慮からWeb上には載らない情報もあります。新聞データベースで、個人情報や広告が消去されていることがあります。

　情報を、広く深く探すには、Web上の情報に頼るだけでなく、印刷物に当たる必要があり、時には専門の図書館や資料室に足を運んで地道に調べるしかない時もあります。動画や画像についても同様です。

まとめ
・Web上で見つかる情報は氷山の一角にすぎない
・印刷物で中身を見る必要も依然としてある

---

10 情報収集にSNSを活用しよう

SNSを活用した情報収集

　本書で主に取り上げているのは、各種のデータベース等の情報源をキーワードで検索して、情報を入手する方法です。ただ、人が情報を得る手段は、情報検索だけとは限りません。

　図書やWebサイト以外にも、ある分野に詳しい情報通である人から非常に貴重な情報を教えてもらうこともあるでしょう。その意味で、人も重要な情報源の一つと言えます。日常生活でも、情報通な人と知り合いになれば、その分野の様々な情報を手に入れることができます。

　また、多くの企業や公的機関がTwitterやFacebookの公式アカウントを通じて情報提供する事例が増えてきています。例えば、@SHARP_JPはシャープ株式会社の公式のアカウントであり、シャープが製造している製品についての紹介もしていますが、それ以外の多くの話題も提供している人気アカウントです。2020年9月現在、82万件のTwitter上でフォローされています。各企業等の公式アカウントをフォローすることで、公式情報を入手することが可能になります。

　人と人を繋ぐサービスであるFacebook、Twitter、Instagram等の**SNS**（Social Networking Service）をうまく活用すると、上記のように、ある分野の情報通からの情報や公式アカウントからの公式情報を定期的に入手することができます。

ハッシュタグ検索

　SNSの投稿を見ていると、ハッシュマーク「#」がつけられたキーワードを見かけることがあります。

　SNSでは、各投稿にハッシュタグという形でキーワードを付与することができます。ハッシュタグは元々、Twitterのユーザたちがイベントを探しやすくする意図で、例えばイベント名や一般的な単語の頭に「#」を付

119

けて投稿するように呼びかけたことが最初のようです。

　その後、このハッシュタグという方法が他のユーザにも広く認知されるようになると、Twitterはハッシュタグを公式の機能としました。ハッシュタグはハイパーリンクとなっていて、あるハッシュタグをクリックすると、そのハッシュタグが付与された投稿のみをタイムラインに表示できます。単なる文字列ではなく、ハッシュタグで検索すると、投稿者が意図的にハッシュタグとしたキーワードで検索することになり、より特定的な検索を行なうことができます。

　現在では、多くのSNSでハッシュタグが使われています。そのSNS上で、最近、話題になっていることを人気のハッシュタグランキング等から見て取ることができます。

　利用者によるハッシュタグの使い方は多様化し、例えばTwitterでは「#なんでもない言葉を必殺技っぽく叫ぶ」といったものもあります。

フィルターバブルに気をつけよう

　SNSを活用した情報収集は有用ですが、一方でフィルターバブルに気をつける必要があります。フィルターバブルはイーライ・パリサーが『閉じこもるインターネット』（2012年）の中で紹介した新語です。サーチエンジンやSNSなどは、利用者の個人的な嗜好を学習する予測エンジンとしても働きます。フィルターバブルは予測エンジンが「なにを望んでいるのかを常に推測し推測の間違いを修正して精度を高めていく。このようなエンジンに囲まれると我々はひとりずつ、自分だけの情報宇宙に囲まれていくこと」としています。

　SNSでは、自分と嗜好が似た人と繋がることが多くなります。結果的に、SNSのタイムラインは、それらの人たちの書き込みで埋まっていきます。また、サーチエンジンが自分の参照する検索結果の傾向を学習して、自分の嗜好に近い情報をより上位に表示するようになります。すると、自分の意見に近い立場の情報が集まりやすくなりますが、対立する立場の情報に

はアクセスしにくくなっていきます。

　SNSを通じた情報収集は有用です。ただ、フィルターバブルに包まれ、自分と似たような嗜好の書き込みばかり目にしていると考え方が偏り、先鋭化してしまいます。自分の立場とは異なる情報に積極的に関わる努力をし、多様な観点からの考え方を知った上でより適切な判断ができるようにしましょう。たまにはSNSを離れて新聞などの従来のメディアから情報収集することも有効です。また、利用者ごとのパーソナライズを行わず、フィルターバブルが起こらないサーチエンジンであるDuckDuckGo（https://duckduckgo.com/）を使うのも一つの手段です。

まとめ

・SNSによってキーワード検索とは異なる情報収集ができる

・SNSではハッシュタグを使うことで、より特定的な検索ができる

・SNSやサーチエンジンによるフィルターバブルについて意識し、できるだけ幅広く情報を集めるべきである

第Ⅳ章 検索裏ワザ　お役立ち情報編

1 フィールド別に検索しよう
より的確に調べる

詳細検索の存在に気づこう

　OPACや一般的な検索システムは、第Ⅰ章2「データベースと検索の仕組み」で触れたように、簡易検索と詳細検索に分かれているものが多くあります。簡易検索を「キーワード検索」とか「基本検索」とか呼ぶこともあります。英語の場合は、"Basic Search" または "Simple Search" と、"Advanced Search" に分けることが多いようです。

　簡易検索は、検索に慣れていない人でもサーチエンジンのような感覚で手軽に使えます。多くの検索システムではまず簡易検索を表示して、さらに詳細検索へ誘導するような画面構成になっています。今まで簡易検索しか使ったことがないという人も、多いのではないでしょうか。

　検索システムによっては「簡易検索」と明示せず、下記のように画面上の目立つところに、いわゆる検索窓と呼ばれるボックスを1つ配置して、その付近に「詳細検索」へのリンクを表示していることもあります（図4-1-1）。

図4-1-1　簡易検索のイメージ

詳細検索はほぼ検索式通りに検索できる

　簡易検索の検索ボックスが1つしかないのに対し、詳細検索は検索ボッ

クスが複数あります。各ボックスの脇に、タイトルや著者など検索フィールドに相当する項目名が表示され、項目ごとに検索語を入力します。原則として、項目同士は論理演算で組み合わせるので、事前に組み立てた検索式通りに検索することができます。1つの検索ボックスに複数の検索語を入力することも可能です。

　例えば、＜タイトル＞＝「情報検索 スキルアップ」AND ＜著者＞＝「宮島輝」という検索式で表現される検索条件の場合、OPACやオンライン書店の書誌検索システムでは、タイトル欄に「情報検索」、著者欄に「宮島輝」のように入力することになります。

　詳細検索画面の検索ボックスの数は一定ではなく、数個から十数個まで、検索システムによって異なります。複雑な検索条件を入力しきれなくなった場合に、検索ボックスを追加できるものもあります。また、項目名と各検索ボックスが一対一に固定で表示されていたり、項目名をプルダウンメニューで選択するようになっていたりという違いもあります。各検索システムを使用する際は、ヘルプを確認するようにしましょう。

簡易検索は論理和になっている

　さて、簡易検索は検索ボックスが1つしかありませんが、実は入力された検索語を複数の検索フィールドに当てはめて、論理和で検索しています。例えば、書誌事項検索の場合は、タイトルや著者、出版社などで検索した結果を併せて表示します。このため、検索に慣れていない人でも何かしらの関連情報を得ることができるのですが、検索時に想定していないフィールドも使用するので、検索ノイズが生じやすくなります。

　ところで、詳細検索でも「キーワード」という名称の検索ボックスを見かけます。検索語をテーマに内容で調べられるような気がしますが、簡易検索と同じように複数検索フィールドの論理和になっているだけです。

【例題】夏目漱石についてOPACで調べたい

　では、実際に簡易検索と詳細検索の違いを確かめてみましょう。例えば、文豪の夏目漱石を例に国立国会図書館オンライン（通称NDL ONLINE）を検索してみます。目的とする資料は、夏目漱石の著作なのか、タイトルに夏目漱石を含むのか、主題が夏目漱石なのか、あるいは夏目漱石に関する記事なのか、目的によって求める資料は異なるでしょう。

　簡易検索画面で、＜キーワード＞＝「夏目漱石」として検索すると、ヒット件数は8,000件以上になりました。資料種別を見ると、記事や図書、マイクロ資料などが含まれています。資料種別を図書に絞り込むと約4,500件になりました。ヘルプによると、簡易検索については下記の通りになっています。

　　タイトル、著者、出版者、件名、目次などをまとめて検索します。

　さて、詳細検索で出版者と目次以外の検索項目別に図書を検索してみます。およその検索結果件数を見てみましょう。タイトルが約1,200件、著者・編者が約1,700件、件名が約1,300件となりました。この中には複数の検索項目で重複しているものもありますが、簡易検索で資料種別を絞らない時点の結果が8,000件以上だったのに比べると、格段に絞り込めているのがわかります。目的別に検索したい時は、検索項目を指定して、フィールド毎に検索するようにしましょう。特に主題内容について調べたい時は、件名を活用することをお勧めします。

サーチエンジンでも検索フィールドの指定ができる

　先ほど、簡易検索画面はサーチエンジンのようだと述べましたが、実はサーチエンジンでも検索フィールドの指定ができます。Googleの検索オプションでは、第I章4「サーチエンジンの使い方」で述べた通り、論理演算の他にファイルタイプやドメインの指定ができます。＜検索対象の範囲＞で、その検索語をページ全体やページタイトル、URLなどのいずれかに含むかを限定できます。

　ある語がこれらのどこに含まれるかを予想できる場合は、全体的な検索結果から絞り込むより効率的でしょう。ドメインとページタイトルなどを組み合わせることも可能です。

【例題】各府省の情報検索サービスにどのようなものがあるかを調べたい

　例えば、各府省の情報検索サービスにどのようなものがあるかを、Googleで調べたいとします。情報検索サービスのページタイトルには「情報検索」という語が含まれると予想して、＜ページタイトル＞＝「情報検索」AND＜サイトまたはドメイン＞＝「go.jp」という検索式を組み立てます。

　検索オプションで、＜すべてのキーワードを含む＞に「情報検索」と入力し、＜検索対象の範囲＞を「ページタイトルのみ」にします。そして＜サイトまたはドメイン＞は「go.jp」にします。すると、約50万件ヒットし、「官報情報検索サービス」や「防衛省 情報検索サービス」などの府省が提供している情報検索ページが表示されました。

　検索実行後の検索ボックスを見ると、「allintitle:情報検索 site:go.jp」と表示されていて、“site”や“allintitle”などのコマンドを検索語と合わせて直接指定できることがわかります。“allintitle”は、指定したすべての検索語をタイトルに含むという意味です。その他、いずれかの検索語をタイトルに含む“intitle”や、URLに含む“inurl”などもあります。

　これらのコマンドについて解説しているサイトはたくさんあります。Google検索のヘルプを参照したり、例にあげたコマンド名を検索語にして探してみるといいでしょう。

まとめ
・検索フィールドを指定したほうが、対象を絞り込んで検索できる
・簡易検索は論理和なので、検索ノイズが生じる可能性が高い
・サーチエンジンでも検索フィールド指定ができる

検索語の数はひかえめに
　　検索漏れを減らす

検索語をたくさん使うデメリット

　私たちは普段の生活で、取捨選択を繰り返しながら生きています。二者択一のこともあれば、たくさんの選択肢の中から選び取ることもあり、あるいは選択の余地がない場合もあるかもしれません。できれば多くの中から吟味してとりこぼしなく最適なものを選びたいものです。そのためには、文字の情報を参照するだけではなく、周囲の人の意見を聞いたり、下見に行ったり、いくつかの候補を比較してみたりすることをごく普通に行なうでしょう。

　情報検索の場合も、たくさんの情報の中から自分の情報要求に合った情報を、できれば漏れなく探せるのが理想的です。とはいえ、サーチエンジンや大規模なデータベースでは一度に膨大な件数の情報が見つかってしまうので、とても選びきれないような気がしてしまいます。そのためか早い段階で条件をどんどん追加して、結果件数を絞り込みすぎている人をよく見かけます。もしかしたら、検索語をたくさん入れるほど、目的の情報に早くたどり着けると思ってしまうのかもしれません。

　検索語の間を空白文字で区切ると、基本的に論理積のAND検索になります。情報検索は検索語と索引語のマッチングなので、語そのものが合致しない場合は適切な検索結果が切り捨てられて検索漏れとなります。また、特定性や限定性の高い語を不用意に使用すると、その語に引きずられるように、検索漏れが生じることにもつながります。

効き目のある検索語を見極める

　さて、皆さんは一度の検索で検索語をいくつ使用するでしょうか。AND検索するとして、多くの場合は2語か3語でしょうか。4語以上はかなり条件が厳しくなってきます。より検索目的に合った結果に絞り込める半

面、検索漏れが生じて結果が過少になることもあります。検索システムによっては、検索語を自動的に減らして検索条件をゆるくし、より多くの検索結果を出力しようとします。しかし、機械的に減らすだけでは、情報要求とずれた検索結果になってしまうかもしれません。

例えば、Amazonでは複数の検索語を入力すると、本来の検索語の掛け合わせに以外に、それより少ない検索語の組み合わせの検索結果を表示することがあります。つまり、＜キーワード＞＝「情報 検索 サービス 理論」と4語を入力すると、その検索結果とともに、1語を減らした「情報 検索 理論」、「検索 サービス 理論」、「情報 検索 サービス」の検索結果も併せて表示します。より少ない検索語数の場合は、さらに検索語を減らしたり検索範囲を広げるために全カテゴリーでの検索結果を表示したりします。

このように検索条件をゆるくする機能は、検索に不慣れな人でも検索漏れを減らしてより多くの情報を得られることになります。しかし本来は不要な検索語が入力されていると、それが残って意図しない検索語の組み合わせになってしまうかもしれません。自身の目で効き目のある検索語を見極め、検索結果の吟味をすることが必要です。

【例題】日本における若者の投票率の最新の実態を調べたい

検索質問を「日本における若者の投票率の最新の実態を調べたい」とします。検索に不慣れな場合は、下線で示すように「日本における若者の投票率の最新の実態を調べたい」と、名詞をすべて検索語に採用してしまいがちです。検索式に直すと、以下のようになります。

＜キーワード＞＝「日本 若者 投票率 最新 実態」

ここにあげたのはやや極端な例ですが、検索語を順に検証していきましょう。「日本」という検索語は入れなくてもいい語です。そもそも日本語で検索しているので検索結果の多くは日本に関する情報が表示されるか

らです。次いで「若者」については年齢層の定義が曖昧ですが、とりあえずこのままにしておきましょう。場合によっては、「若年層」あるいは「未成年」という表現に言い換えることも可能です。「投票率」はそのまま採用します。「最新」というのはやっかいな語です。つい入れたくなりますが、いつの「最新」なのかといえば、その情報が公表された時点の「最新」なので、直近の選挙での投票率とは限りません。「実態」というのもあまり意味のない語で、強いていえば入れないほうがいい語でしょう。むしろ「実態」という語が文中で使われていなければヒットせず、検索漏れを生じるかもしれません。他にも「○○における××の問題」の「問題」も不要な検索語の候補です。こうしてみると、つまりこの検索語の中で一番重要なのは、「若者」と「投票率」ということになります。

　　＜キーワード＞＝「若者　投票率」

　執筆時点の2020年9月にGoogleを検索してみると、この検索により総務省（https://www.soumu.go.jp/）の「総務省｜国政選挙の年代別投票率の推移について」というページがトップに表示されました。このページは「若者」という語は含まれていませんが、報道その他の出典としてリンクされることが多いページであると推察されます。

　ここからさらに絞り込む前に、検索結果を眺めてみましょう。2番目以下のページは、大手新聞社やWeb上の無料新聞サイトのニュース記事となっています。トップに表示された総務省のページは「選挙・政治資金」の中の「啓発・その他」というカテゴリーに含まれるページでした。同カテゴリーをたどると他にも投票率に関する詳細なページが見つかります。

　また、トップに表示されたページのタイトルからは公式には「年代別投票率」という語が使われていることがわかりました。知りたいのは若者の投票率ですが、年代別投票率であればすべての年代が網羅されているので、若者の投票率はもちろん他の世代との比較も簡単にできそうです。このように検索結果から使えそうな検索語をピックアップして検索式を変更する

のは、第I章5「検索には戦略がある」で説明したフィードバックという
手法です。フィードバックを繰り返すことによって特定性の高い語や限定
性の高い語を効果的に用いて効率的な検索が可能となります。

> **まとめ**
> ・AND検索で検索語をたくさん使い過ぎない
> ・特定性や限定性の高い語は適切に使わないと検索漏れを生じるこ
> 　とがある
> ・入れなくてもいい語や入れないほうがいい語を見極める
> ・フィードバックにより、効果的な検索語をピックアップする

3 より広く適したものを探す
論理和や上位概念の活用

別の言い方をカバーする

　言葉は生き物なので、地域や年代、業界、仲間内などそれぞれの属性によって、同じ意味や物事でも別の言い方をすることがあります。専門用語や略称、愛称、俗語などその形態はさまざまです。

　例えば、「パーソナルコンピュータ」を略して「パソコン」や「PC」と言ったり、俗語的に「パソ」と言ったりする人もいるでしょう。「パーソナルコンピューター」という表記も目にします。また、「東京大学」を「東大」とか「赤門」とか言うこともあります。「東大」は略称で、「赤門」は換喩が愛称になった例です。このようにいくつもの言い方がある場合、別の言い方を見落として検索漏れになるかもしれません。

　複数の言い方がある場合は、それらの語を含めて論理和（OR検索）にするのが有効です。論理和は検索の考え方なので、検索の際は、それぞれの検索語で何回かに分けて実行してもいいでしょう。いずれにしても、別の言い方がある可能性を考えて検索することが検索漏れを減らす秘訣です。

同義語・類義語をあらかじめ調べておく

　「本」のことを、書店では「書籍」といいますが図書館では「図書」といいます。古くは「書物」といいますし、英語では「book」、日本語でも「ブック」を使います。同義語や類義語を複数使うといっても、その言葉を知らなければ使うことはできません。事前に辞書で用語を調べたり、サーチエンジンで検索したりして、どのような言葉があるのかを**事前検索**しておきましょう。

　第Ⅰ章2「データベースと検索の仕組み」で解説したように統制語を使えば、これらの語をまとめて検索することができます。しかし、サーチエンジンにはこのような機能はないので、ある語で検索してから検索結果を

見て、使えそうな用語を検索語として再検索するフィードバックという手法が有効になります。

【例題】京都観光の際の宿を確保したい

統制語で用いる概念の考え方を応用して検索戦略を立ててみましょう。最近、観光客が激増して京都でなかなか宿が取れないという話を聞きます。観光用のホテルが取れなければビジネスホテルを候補に含めたり、観光用のホテルに泊まりたければ大津や奈良などの近隣の宿泊地を含めたりすることも考えられます。いっそ京都府全体、近畿地方全域から、京都市内に観光に出やすい沿線を探すのも1つの案かもしれません。

ここで上位語、下位語、関連語の考え方になぞらえてみます。上位語として近畿地方、大津や奈良は関連語に相当します。下位語に相当するのは京都市中心部の狭いエリアということになりますが、宿泊の選択肢が豊富にある時期ならば、これも選択可能でしょう。

旅行情報サイトでは、エリアや宿泊施設の形態、価格などで目的に合わせて簡単に検索できるようになっているので、参考にしてみるといいでしょう。自力でサーチエンジンを検索する場合にも応用できます。

表記ゆれへの対応

表記ゆれは、同じ音で同じ意味の同一の語に複数の表記が存在することをいい、主に送り仮名、漢字やカタカナなどの文字種の異なりで起こります。「表記ゆれ」という語自体にも「表記のゆれ」「表記揺れ」「表記の揺れ」など複数の表記があるのが面白いところです。

本来は同じ文書や同じ書籍の中での不統一を指しますが、情報検索の場合は複数の文書や書籍を対象とするので、表記ゆれが発生しやすくなります。検索システムによっては、表記ゆれを吸収して同一の語として扱うように処理されるものが増えてきています。

例えば、機械部品の「ばね」を取り上げてみましょう。「ばね」のほか

に「バネ」、漢字で「発条」「発條」などのいくつか異なる表記があります。英語由来の「スプリング」も使います。漢字の読みは「はつじょう」とも当て字で「ばね」とも読みます。メーカー名などの固有名詞で旧漢字を使っている場合もあります。これらを漏らさず検索するには、候補となる表記を列挙して論理和にする必要があります。

通称・愛称・集団語などの別称を見つける

　暑い日には冷房のために「エアコン」を使います。「エアコン」は略称で、本来は「エアーコンディショナー」です。ある程度の年齢以上の人は、冷房機能を指して「クーラー」とも言うでしょう。「空調」と言うこともありますが、こちらは「空気調和機」や「空気調和設備」の略称です。設備関係の専門家には「空調」の方がよく通じるかもしれません。

　どういう情報を探したいかによって、呼称を変えて検索する必要も出てきます。ある有名人に関する情報を幅広く得たい時に、フルネームで検索するだけでは通り一遍の情報しか集められないこともあります。必ずしもフルネームが使用されるとは限りませんし、報道などで使われる呼称と熱心なファンの間で使われる愛称が違う場合などもよくあるでしょう。

　業界用語や専門用語など、仲間内で使う言葉などを集団語と呼びます。符牒やスラング（隠語、略語、俗語）とも言い、Web上ではいわゆるネットスラングが多く使われます。これらの集団語は辞典類で調べられることもありますが、そうでない場合は、前述したフィードバック手法で複数の呼称を見つけていきます。

【例題】「鳥インフルエンザ」について詳細に知りたい

　鳥類に感染する「鳥インフルエンザ」について詳しく知りたいとします。報道などでは文字数を抑えるため略称の「鳥インフル」が使われることもあります。もっとも「鳥インフル」という言葉は「鳥インフルエンザ」という言葉の一部に含まれるので、「鳥インフル」で検索しても「鳥インフ

ルエンザ」も見つかります。

　正確な情報を知るには正式名称や専門用語を用いて検索する必要があります。とっかかりとして＜キーワード＞＝「鳥インフルエンザ」で検索してみます。すると管轄の府省のサイトがいくつか表示され、まとめると「鳥インフルエンザ」は「A型インフルエンザ（influenza A）」の総称であり、H5N1型やH7N9型、およびそれらの亜型やそれ以外の型に分類されること、英語で「Avian influenza」「Avian flu」「bird flu」などと表記されることがわかりました。

　これらの用語を組み合わせることで、調べる範囲を広げるだけでなく、逆に専門的な情報に絞り込むことができます。鳥インフルエンザの型を入力すれば型ごとの詳細な情報が得られますし、英語名で検索すれば英語で書かれた情報も調べられます。また、CiNiiやGoogle Scholarで学術情報を調べる場合も、単に＜キーワード＞＝「鳥インフルエンザ」で検索するよりも精度の高い検索結果が期待できます。

まとめ
- 同義語や類義語、表記の揺れを見逃さないようにする
- 別称や複数の表現を知るには事前検索が有効である
- 概念の上下関係を応用して、上位語、下位語、関連語をうまく組み合わせる

ゆるやかに探してキュッと締める
制限検索の有用性

見回しながら情報を絞り込んでいく

　日常生活で買い物や外食の時にぶらぶら店を探すシーンを考えてみましょう。繁華街や商店街で、ショーウィンドウや店の様子をのぞいたり、別の店と比較したり、値段を確かめたり、たくさんの情報を順に取り込んでいきます。いきなり価格や品名で細かく条件をつけて絞り込むのではなく、だいたいの目安をつけてから、さまざまな制約を勘案して選んでいくのではないでしょうか。

　情報検索の場合もこれと同様に、一度にたくさんの検索条件をかけ合わせるよりも、少ない検索語から始めたり論理和のOR検索で該当する検索結果の範囲を広げたりしてから、条件を加減して絞り込んでいったほうが、取りこぼしなく情報を見つけられるでしょう。

検索結果の絞り込み機能を使う

　飲食店の情報が載っているグルメサイトでは、料理のジャンル、立地、価格帯、会合の目的などで条件を絞り込む機能があります。ワンクリックでそれぞれの範囲を切り替えられるので、手軽に複数の条件をかけ合わせられます。多くのオンラインショッピングサイトもこうした機能を備えています。

　絞り込み機能自体は目新しいものではなく、従来の文献データベースやOPACにも取り入れられてきました。まず、著者名やタイトルなどで検索してから、出版年月、言語、資料種別などで制限を加えて絞り込むので、二次検索や制限検索と呼ばれています。

　ところで、サーチエンジンも言語や期間の絞り込みができます。Googleでは検索ボックスの下部に表示される「ツール」メニューに「すべての言語」「期間指定」「すべての結果」というサブメニューが用意されています。

Yahooでは、新規検索の時はメニューは表示されませんが、再検索の際に検索ボックスの下に「検索ツール」が表示されて同様のサブメニューを選択できます。

　さらに詳しく設定するには、第Ⅰ章4「サーチエンジンの使い方」でも解説した通り、Googleでは「検索オプション」、Yahooでは「条件指定」という名称のオプションがあります。論理演算のほか、ドメイン、ファイル種別、検索対象（その検索語の出現箇所）、最終更新などで、検索結果を詳細に絞り込めます。

【例題】最新の年代別投票率を知りたい

　Googleの「期間指定」を用いてみましょう。「期間指定」はページの更新時期を1時間以内、24時間以内、1週間以内、1か月以内、1年以内、その他具体的な期間（開始日から終了日を月/日/西暦4桁で指定）を指定できます。検索オプションの「最終更新」でも可能です。

　ところで「最新」という言葉は曖昧です。第Ⅳ章2「検索語の数はひかえめに」でもふれましたが、検索語に「最新」を含めても意味はありません。今まさに変わりつつある事象なのか、月単位や年単位で変わるのか、対象によってその期間の定義は変わります。

　投票率は選挙がなければ更新されないので、年代別の投票率のうち公表時期が現在に近いものを期間で絞り込みます。さしあたって選挙の種類は問わず、過去1年間であれば下記のような検索式となります。

　＜キーワード＞＝「年代別投票率」AND ＜期間指定＞＝「1年以内」

　とはいうものの、1時間以内に更新されたページに5年前のデータが掲載されている可能性もあります。また、目的とするデータの調査自体が5年前以来実施されていないのであれば、5年前のデータが最新となります。いずれにしても、ページの更新日付や掲載データの作成時期を自身で確認する必要があります。

【例題】富士山に関する英語の案内をPDFファイルで入手したい

　Googleの検索オプションで絞り込む方法を見ていきましょう。仮に英語使用者が富士山に関する情報を探したいとします。PDFファイルを指定するのは、Web上に公開されたパンフレットのような案内を入手できるのではという目論見です。検索式にすると下記のようになります。

　＜キーワード＞＝「Mt.Fuji」AND ＜ファイル形式＞＝「pdf」
　　AND ＜言語＞＝英語

　検索時には、英訳したMt.Fujiの略称のピリオドが無視されてMtとFujiが別々にならないようにします。具体的にはフレーズ検索の「語順も含め完全一致」で指定します。入力する検索語はこれだけです。あとは検索オプションの検索対象の「ファイル形式」で「Adobe Acrobat PDF（.pdf）」を選択し、さらに検索対象とするページの「言語」で「英語」を選択します。実際に検索すると検索ボックスに「"Mt.Fuji" filetype:pdf」、検索ボックス下部に「英語のページを検索」と表示されます。

専門性で絞られた中をゆるやかに探す

　ゆるやかに探してキュッと締めるのとは逆ですが、専門性が高いサーチエンジンを使って、絞られた中で探すことを考えてみましょう。

　学術情報専門のGoogle Scholarは、論文、学術誌、出版物の全文やメタデータが検索できます。例えば、ノーベル賞を受賞した大隅良典博士の論文を読みたいとします。通常のGoogleではノーベル賞関連のニュースをはじめ、大隅博士に関する多様な情報が見つかりますが、学術情報のみを探す場合はGoogle Scholarの方が向いています。検索オプションで論理演算の他、著者の指定や出版年による絞り込みもできます。

　特許情報なら、**Google Patents**（https://patents.google.com/）を使えば、各国の特許情報を手軽に調べられます。検索オプションでは、通常の

論理演算の他、特許番号や特許名、発明者名称などを指定できます。

　OPACや記事データベース、先に述べたグルメサイトなどもそうですが、目的や得意分野が決まっているサーチエンジンや検索システムを使えば、その分野での検索に適した設計になっているので、複雑に検索語を組み合わせるよりも効率よく情報探しができます。

> **まとめ**
> ・ゆるやかな検索条件から始めて、検索結果の様子を見ながら徐々に絞り込んでいく
> ・二次検索（制限検索）をうまく使って条件の設定範囲を加減する
> ・サーチエンジンでは、言語、期間、ドメイン、ファイル形式などをツールや検索オプションで絞り込む
> ・サーチエンジンや検索システムの得意分野を知って楽に調べる

ソレじゃないのを探したい

論理差で検索ノイズを減らす

検索ノイズを除いて精度を高める

　検索に慣れていない人にとっては、サーチエンジンはたくさんヒットするけど目的の情報がなかなか見つけられない、と感じることが多いかもしれません。もともとサーチエンジンは大量の検索結果が表示されるように作られていることもありますが、関連性の低い情報が多く紛れ込んで邪魔をしているようにも見えます。このような関連性の低い情報を**検索ノイズ**と呼び、特に、同じ読みや綴りで別の意味をもつ同音異義語や、複数の意味を持つ多義語を検索する場合などに発生しがちです。

　ところで、この「検索ノイズ」という言葉は単に「ノイズ」とも呼びますが、情報検索では対象や目的となる情報以外の不要な情報のことを指します。一般的には騒音や雑音という意味なので、あえて「検索ノイズ」という表現で区別したりします。

　また、「ウイルス」という言葉は、本来は感染症を引き起こす病原体のことですが、「コンピュータウイルス」という意味でも使われます。もともとは、プログラムファイルからプログラムファイルへと感染するマルウェア（コンピュータに悪影響を及ぼすプログラム）が、病原体に似ているのでそのように名付けられました。やがて多くの人々が話題にするようになると、単に「ウイルス」と呼ばれて本来の意味との区別が難しくなっています。

　このように、ある語の使われ方の区別をしたい場合や、ある事柄についてすでにわかっていること以外を知りたいというような場合があります。必要な情報だけを絞り込んだり、不要な情報を検索ノイズとして除外したりするためにはどうすればよいでしょうか。

NOT検索を使う方がいい場合

　検索ノイズを減らして精度を高めるには、検索語を追加して対象を限定していくことになります。この場合、論理積のAND検索で検索語を追加していって絞り込む方法と、明らかに不要なものを論理差のNOT検索で除外していく方法があります。

　ある語で検索した時に、XとYの両方に関するものが同時にヒットしたが、欲しい情報はXに関するものである場合を考えてみます。この場合、ある語とXをAND検索で掛け合わせても、NOT検索でYを除外しても結果に大差はありません。むしろ、ひと手間余計にかけてNOT検索にするよりは、素直にXとのAND検索にしたほうが直感的でもあり効率的でしょう。AND検索ならば検索語の間を空白文字で区切ればいいだけです。

　例えば、サーチエンジンで「ウイルス」という語で検索すると、病原体のウイルスとコンピュータのウイルスに関する情報が表示されます。欲している情報が両者の二者択一ならば、＜キーワード＞ ＝「ウイルス 病原体」と検索した方がいいということです。

　NOT検索は、単純に検索ノイズとなっている語を除きたい時はもちろん、それ以外にどのような事柄が存在するのか限定できない時や、すでにわかっていること以外の事柄を知りたい時などに向いています。言い方を変えれば、AND検索は既知事項同士、NOT検索は未知事項を含む場合の絞り込みに向くといえます。

　例えば、クックパッド（https://cookpad.com/）という料理レシピのコミュニティサイトがあります。ユーザが自作のレシピを載せることができ、料理名だけでなく食材名でも検索できます。大変便利で人気があるので、料理名と「レシピ」「作り方」などの語でAND検索すると、上位の数件はクックパッド関連のページが出てきます。しかし、他の料理レシピのサイトに載っているレシピを知りたいと思うこともあります。このような場合は、「クックパッド」という語をNOT検索で除外すると、他にどんな

料理レシピのサイトがあるかを具体的に知らなくても、クックパッドに次いで人気のあるサイトを上位に表示させることができます。その他、Q&Aサイトが上位に出てきてしまう場合も同様に検索できます。

【例題】トウモロコシを用いた遺伝子の実験について調べたい

　トウモロコシは、遺伝子研究の材料に適しているといわれています。具体的にどのような点が優れているのか、また実験は具体的にどのように行なうのかを調べたいとします。

　とりあえずサーチエンジンで＜キーワード＞＝「トウモロコシ　遺伝子」で調べたところ、遺伝子組み換えに関するページがたくさん表示されてしまいました。世間で農作物の遺伝子組み換え操作が話題になっているので、関連情報が上位にあがってきてしまうようです。「実験」という語を追加して、＜キーワード＞＝「トウモロコシ　遺伝子　実験」とすると、件数は3分の1ほどになりますが、相変わらず遺伝子組み換えに関するページが表示されます。つまりは「組み換え」という語が邪魔をしているので、これを除いて検索することにしましょう。

　検索オプションで「含めないキーワード」に「組み換え」という語を追加するか、＜キーワード＞＝「トウモロコシ　遺伝子　実験 -組み換え」のように、除きたい語の前に半角のマイナス（-）を追加してみます。すると検索結果が半数近くになり、トウモロコシを用いた遺伝子の実験に関するページが上位に表示されるようになりました。

　ところで、除外する対象の「組み換え」は送り仮名が違う「組換え」とも表記します。このような不統一を表記ゆれといいます。「組み換え」を除いても「組換え」を含む検索結果はヒットしますので、＜キーワード＞＝「トウモロコシ　遺伝子　実験 -組み換え -組換え」のようにさらに「組換え」を除外して絞り込むことは可能です。もっとも、サーチエンジンのように、適合度順に出力されている検索システムにおいては、件数を絞り込むことはそれほど重要ではないでしょう。

NOT検索を使う時の注意点

サーチエンジンのような全文検索の場合は、検索語がそのページの中の語と適合すればヒットします。そのため、主題と関係なくその語が含まれているだけでヒットすることがあり、結果的に検索ノイズとなります。一方、NOT検索を用いると、本来は適切なページであっても、たまたま除外したい語が含まれていると検索結果から除かれてしまいます。

例えば、＜キーワード＞＝「ウイルス −病原体」のように検索しても、仮にそのページに「ウイルスは病原体のことですが、ではコンピュータのウイルスとはどのようなものでしょう」というような文が含まれていると、たとえコンピュータウイルスが主題であっても「病原体」という語が含まれているために検索結果から除外されて、検索漏れにつながります。また、当然のことながらNOT検索で完全に検索ノイズを除外できるわけではありません。

検索の際に、いきなりNOT検索を用いるケースは少なく、フィードバックをしながら総合的な判断が必要となります。ある程度検索結果をチェックして、検索ノイズとなる語を見出して検索式に反映したり、時に同義語をOR検索で補ったりする必要があるでしょう。

> **まとめ**
> ・NOT検索は同音異義語や多義語の除外や未知事項の確認に有効である
> ・検索ノイズとなる語を除外しすぎると、検索漏れを引き起こす
> ・検索結果を見てフィードバックしながら検索する
> ・AND検索やOR検索とも組みあわせて総合的に使う

ないと思えば見つからない
　結果はクールに眺めよう

思い込みをなくして、検索結果をよくチェックしよう

　日常生活で探し物をしていると、見えているはずなのに見つからないことがありませんか。目的の建物の前にいるのに周囲を見回してしまったり、売り場の前で目の前の商品が目に入らなかったりするのは、ないと思い込んでいたり別の形状の物を想像していたりする時ではないでしょうか。検索でも同じことがいえます。目的の情報が含まれているページが目の前に開かれていても、なぜかそれを見落としていて、後から「あ！　そこにあったのか！」と驚くことは案外多くあるでしょう。

どんな形の情報なのか想像してみる

　データベースやサーチエンジンで情報検索している時に心がけたいのは、その情報はどんな形で表現されているのかを想像することです。例えば企業や府省のサイトなのか、それとも個人のブログのエントリーやTwitterのつぶやきなのか。データであれば、表やグラフの形をしているのか、どんな項目がありそうか。それら情報が表示されるファイル形式も、Webページ、PDFファイル、その他さまざまあるでしょう。

　自分が欲しい情報はどんな形に収まっているのか、ありそうな姿を想像してあたりをつけてみることは欠かせません。そのためにも日頃から、いろんなサイトを見て勘所を養うのも大切です。

情報を選び取る

　例えばサーチエンジンでは、検索結果が適合度順出力されているとはいえ、一番上のページがその人にとって最適なページであるとは限りません。このため、表示された複数の中から必要な情報を自分で選び出すことが必要になります。場合によっては難しすぎたり詳細すぎたりするかもし

れません。前述したような形式も重要です。まずは検索結果にざっと目を通して、どのような書かれ方をしているのかを確認するようにしましょう。

スニペットを活用しよう

　サーチエンジンの場合は、スニペット*で各ページ内の一部をプレビューできます。スニペットは検索語と一致した本文中の語（文字列）の前後の文章が抜粋され、該当する語は太字で表示されるので、検索結果の各ページを開く前に検索語がページ

> *スニペット（snippet）は「断片」や「抜粋」という意味です。サーチエンジンの場合は、検索結果の各タイトルの下に2〜3行で表示される該当ページ内の抜粋を指します。

内の語とどのように一致したかがわかります。また、複数の検索語を用いた場合は、ページ内でヒットした語同士の距離を確認できます。たまたま同じページの中で、複数の語が別々の文脈で含まれている時もありますが、検索語同士の距離が近ければ関連性は深いと判断できます。

　スニペットを確認せず、ページのタイトルだけを見ていたり、仮にページを開いても全体に目を通さずにすぐにページを閉じたりを繰り返していても、あまりいい結果は得られないでしょう。

【例題】文学作品で舞台となった場所を知りたい

　映画やアニメの中に出てくる実在の場所を訪ねることが流行していますが、作品中の記述からその場所を探すということをしてみましょう。

　例えば、「かくて丘に上りて躑躅を見たり」という一文が出てくる、映画化もされた明治時代の文学作品があります。この丘というのは、今もある実在の施設の中にあるのですが、その施設を探してみます。まず、「かくて丘に上りて躑躅を見たり」というと、まず「躑躅」が特徴的に思えてきます。これは「つつじ」と読みますが、読みがわからない段階で入力するのは大変なのでひとまず置いておきましょう。もしどうしても入力した

ければ、WindowsのPCならばIME[＊]で手書
き入力ができるIMEパッドを使ってもいい
でしょう。

　さて、＜キーワード＞＝「かくて丘に
上りて」で検索すると**青空文庫**（https://
www.aozora.gr.jp/）の「外科室」が表示

＊IMEはInput Method Editor
の略で、Microsoft Windows
に付属しているいわゆる日本
語入力ソフトです。IMEパッ
ドの他、文字一覧や部首、画
数で選択できます。

され、スニペットを確認すると、その他のいくつかの検索結果からも、明
治の文豪泉鏡花作の「外科室」に出てくる文であることがわかります。こ
こで、＜キーワード＞＝「泉鏡花 外科室 丘」などと検索したくなるとこ
ろですが、まずは青空文庫の「外科室」を開いてみます。

　ページの先頭から順にすべて目を通していくのは大変なので、ページ内
検索を使いましょう。ページ内検索の詳細は後述しますが、「かくて丘に
上りて」を探してみると、中盤以降の「下」の章に、「かくて丘に上りて
躑躅を見たり」という一文が出てきました。その前後を見てみると、「躑
躅の丘」、「園内の池」という言葉があり、さらに上の行を見ると「小石川
なる植物園」という記述がみられました。小石川にある植物園ということ
で「小石川植物園」でしょうか。

　改めて＜キーワード＞＝「小石川 植物園」で検索すると、検索トッ
プに小石川植物園 - 東京大学大学院理学系研究科附属植物園（https://
www.bg.s.u-tokyo.ac.jp/koishikawa/）が見つかり、一般には「小石川植
物園」と呼ばれる東京大学の付属植物園であることがわかりました。

　もちろん、外科室の舞台であることがわかった時点で＜キーワード＞
＝「外科室 舞台」などで検索し直しても、そのことに言及しているペー
ジが見つかります。いずれは小石川植物園にたどり着けますが、いたずら
に遠回りになる感があるでしょう。新たな検索を繰り返すより、最初に見
つかったページ内をよく見ることで早く目的の情報を探し出せる例です。

図4-6-1　Google Chromeの設定ボタン

ページ内検索

　前述したように、ページを開いた時に検索語と一致した語やある特定の語の位置をすべて確認するのに、文頭から文末まで目視でチェックしていくのは大変ですし、見落としもあります。こうした場合は**ページ内検索**を使うと便利です。

　　Google Chromeでは、ウィンドウの右上の「Google Chrome 設定」ボタンをクリックし、表示されたメニューから「検索」を選ぶと、ウィンドウの右上に検索語を入力するテキストボックスが表示されます。ここに検索語を入力し、Enterキーを押すごとにページ内の該当する語が順にハイライト表示されます。

　　ブラウザによってメニューが少しずつ違うので、PC操作に慣れている方は、ショートカットキーのCtrl+F（Ctrlキーを押しながらFを押す）を使ってもいいでしょう。ショートカットキーは他のアプリケーションでも共通して使えるので、少しずつ覚えるようにすると作業効率が上がります（PC Tip c「ショートカットキーを使いこなそう」参照）。スマートフォンやタブレット端末の場合は、また別の操作方法になります。

> **まとめ**
> ・思い込みをなくして検索結果やプレビューをよく確認する
> ・日頃から情報がどんな形をしているのかを意識する
> ・スニペットやページ内検索を活用する
> ・ショートカットキーを使ってみよう

7 フィードバックの活用
検索に使える言葉を見つけよう

フィードバックの手法を活用する

　第Ⅰ章5「検索には戦略がある」や他節でもたびたび触れているように、検索結果の中から使えそうな言葉を検索語として取り入れたり、検索式を立て直したりする手法を**フィードバック**といいます。

　例えば、「エコノミークラス症候群」と呼ばれる病気があります。旅客機内のエコノミークラスの狭い座席などで長時間過ごすと発症するので、この名前がついています。ちなみに誤って「エコノミー症候群」と表記されている場合もありますが、これでは意味するところが変わってしまいます。

　さて、この病気の予防についてもう少し専門的に調べたいとします。専門的に調べるためには、検索語に正式名称や専門用語を使うと効率がいいでしょう。しかし、あいにく専門用語がわかりません。とりあえず、「エコノミークラス症候群」で検索すると、検索結果の中に「旅行者血栓症」という名称が見つかりました。「血栓症」という語は専門的な印象を受けるのでこの語を採用することにします。

　次に、＜キーワード＞＝「エコノミークラス症候群　血栓症」で検索すると「深部静脈血栓症」「肺動脈塞栓症」「急性肺血栓塞栓症」などの語が新たに見つかりました。これらの語を検索語に用いれば、より詳細に、より専門的に情報を探すことができるでしょう。

検索したいのに名前がわからない

　ところで、人間は忘れっぽい動物です。久しぶりに会った知人の名前がどうしても思い出せなかったことがありませんか。そういう場合、面と向かって名前を尋ねるわけにいかないので、無難な世間話の中から相手の日常や属性を探ったり、相手がフルネームを名乗ることを期待して、「そう

いえば、下のお名前は何でしたっけ？」などと質問したりするかもしれません。

　また、ある映画の題名がどうしても思い出せない時など、なぜか脇役の名前や劇中の台詞などの周辺情報ばかり次々と浮かんできたりするものです。もし、それを思い出したい人同士の会話になったら、延々と連想ゲームのような事態になってしまうでしょう。

　何か検索するには、検索語に相当する言葉が必要です。先ほどの映画の例ならば、役名や台詞の組み合わせで検索すれば、ある程度の映画ならすぐに見つかるでしょう。しかし、思い出せないだけでなく、名前を知らなかったり名前がなかったりするものも世の中にたくさんあります。

　検索語にすべき語がわからない時は、その周辺や類似の情報を利用して、じわじわと核心に向かっていくしかありません。この場合も、フィードバックの手法を応用して、周辺の情報を利用しながら少しずつ核心に向かって情報を絞り込んでいきましょう。

【例題】土台がバネになっている動物の遊具がある公園を探したい

　この場合、最終的に調べたいのは公園ですが、「土台がバネになっている動物の遊具」が条件となっています。きっと、子どもが乗るような馬やパンダの形をした遊具でしょう。その遊具の名称さえわかれば、地域の公園の設備情報が出ているページなどで簡単に見つかりそうです。以下の検索式で検索してみます。

　＜キーワード＞＝「動物　遊具」

　すると、世間には同じ疑問をもつ人が複数いるようで、正式名称を質問しているページが出てきました。それによると「スプリング遊具」というようです。そこで、＜キーワード＞＝「スプリング遊具　公園」で検索し直すと、これらのスプリング遊具の画像や、公園遊具の専門企業がいくつかヒットし、スプリング遊具が設置してある公園の一覧が載っているサイ

トも見つけることができました。

画像の類似検索を使う

　画像も言葉では検索しにくいものの例です。人気キャラクターや建造物の名前や、「自動車」や「着物」など形が決まっていて呼び方も定まっているものならば、比較的簡単に見つかります。しかし、言葉では表現しにくいような形状などを探す場合は、どうすればいいのでしょうか。

　Google画像検索では、言葉だけでなく画像そのもので検索が可能です。検索ボックスに画像のURLを入力するか、画像をアップロードします。すると、検索に用いた画像と構図や対象が類似している画像が検索されます。もちろん、検索に用いる既存の画像がなければ、自作の画像をPCに取り込んで利用することもできます。

フィードバックでギャップを埋める

　さて、頭の中で探したいと思っていることと、検索語として思いついた語は、必ずしも一致するものではありません。探したいものが特に明確になっていない場合は、関連する言葉の選び方すらわからないこともあります。そのような場合は、検索結果中の関連する言葉を検索語として検索を繰り返してみましょう。表示された関連情報を眺めてみるうちに、頭の中のイメージと、検索語や検索結果とのギャップを埋めることができるかもしれません。

【例題】面白い《動物注意》の標識の画像を見つけたい

　仮に、頭の中に漠然と「面白い」「動物注意」「標識」ということだけがあり、それより具体的なものは思いついていない状態としましょう。とりあえず、Googleの画像検索で＜キーワード＞＝「動物注意」という検索式で検索すると、「動物注意」の標識のさまざまな画像が出てきます。検索結果に表示されるたくさんの画像を見ていくうちに、検索結果中の「カ

図4-7-1　動物注意の画像検索結果

ニ注意」（図4-7-1の上部中央）を気に入ったとします。検索した人はこれ
を検索結果として検索を終了することもできますし、今度は「カニ注意」
を新たな検索語として、類似画像を探すこともできます。

　この例では、検索する人自身ですら探したいものがわかっていない状態
で検索を始めますが、フィードバックの手法で目的のものを得られたとい
えます。

まとめ
・フィードバックの手法を活用して周辺情報から絞り込んでいく
・画像の類似検索も試してみる
・何が欲しいのか自分でも不明な場合でも、フィードバックにより
　欲しかったものが明確になることもある

オリジナル情報は早い！正確！
　Web情報で原典にあたる

Webで正確な最新情報を探す

　列車で旅をしようという時、ひと昔前なら印刷物の時刻表を調べたで
しょう。もちろん今でも販売していますし、駅の窓口に備え付けの時刻表
をめくっている人を見かけますが、Web上の情報を使う人ならば、乗換
案内のWebサービスや鉄道会社のサイトで必要な時間帯を検索するのが
主流ではないでしょうか。あるいは、数年前の旅行のガイドブックが手元
にあって、新しい版を買い直すほどでもないので、今度行く場所の施設や
イベントについて最新の詳細情報だけを公式サイトで調べるということも
よくあります。

　印刷物の情報は、更新頻度が低く文字の大きさや字数に限りがあります
が、Web上に新しい情報があれば、その部分だけ調べられるのがWebの
便利なところです。「詳しくはホームページで」や「つづきはWebで」と
いう文言とともに、サーチエンジンの検索ボックスに検索語が入ったイラ
ストや、URLが表示されている広告やCMをよく目にすることがあります。
これは、Web上では常に正確な最新情報が提供されるという前提の表れ
でしょう。

出典をたよりに最新情報を調べる

　旅情報に限らず、普段の生活で無意識にやっていることをもう少し広げ
て、オリジナルである原情報を調べるということを考えてみましょう。

　新聞記事や論文に載っているデータには、出典を載せるのがルールで
す。グラフや表にはキャプションをつけ、データの出所や公表年、編集が
加えられていればその旨を書き添えます。また、引用箇所や引き合いに出
した事実には引用文献や参考文献を明記します。

　これらはその情報が正しいという裏付けであると同時に、出典を頼りに

再参照が可能であるということです。原データや原情報を直接参照して、より新しい情報や詳細な情報を入手する手がかりになります。

加工済データにはタイムラグがある

　原情報を使った方がいいとはわかっていても、必ずしも理解しやすい形で書かれているわけではありません。用語が難しかったり、詳細すぎたり、外国語で書かれていたり、専門知識がないと理解しにくい場合もあるでしょう。これらをわかりやすく加工したり編集したりするためには、労力と時間がかかります。

　このため、調べた時点では最新情報であっても、その部分だけでなく他の部分の情報もまとめたものとして公表する頃には、古い情報となっていることがあります。外国語の情報を翻訳する場合も同様です。

　こうした時間のずれを**タイムラグ**といいます。古いだけでなく、今となっては間違っている情報となっている場合などは、そのまま利用するとトピックによっては健康被害などの重大な事態を引き起こしかねません。やはり、できるだけ最新の原情報を参照するようにしたいものです。

URLが変更になっていた場合

　知らないうちにリンク先のURLが変更されていて、リンク切れになってがっかりすることはありませんか。せっかくURLを記録しておいても何かの事情でURLの綴りの一部や、URL全体が変更になったりすることがあります。

　指定したURLが無効になっている場合は、URLの後ろの文字から順に削っていって、そのサイトのトップページを表示させるのも１つの方法です。トップページからサイトマップやサイト内検索を用いて、目的のデータの名称で探せることがあります。

　サイトによっては、指定したページから別のページに自動的に転送する**リダイレクト**（redirect）機能が設定されていることもありますが、そう

でない場合は、そのページは見つけられません。特に、複雑で長いURL
は変更されやすい傾向にあります。そこで、本書で紹介するサイトも極力
トップページのURLを示すようにしています。

　この方法は、毎年の公表データや年次報告書が年別のフォルダに格納さ
れているような時にも応用できます。表やグラフのキャプションに表示さ
れるURLでも試してみましょう。

孫引きの不確実性

　孫引きとは引用の引用ということです。一見正しく出典や原典が示され
ているように見えて、実際は出典や原典に遡って調べずに、他の記事や文
献に載っている引用部分をそのまま引用することをいいます。

　もし引用部分の記述が間違っていたら、孫引き部分の記述も間違うこと
になります。引用部分の内容は合っていても、その出典を引き写した際の
表示が間違っていて、原典を参照できない場合もあります。できるだけ自
分で出典を確認するようにしましょう。

情報のひとり歩き

　時には、影響力の大きい人物の発言の一部だけが文脈を無視して報道さ
れ、意図的に世間の誤解を生じさせたり、思わぬ騒動になったりすること
があります。切り取られた発言だけが繰り返し報道されたり人々の口の端
に上ったりすることで、あたかも真実のようにひとり歩きを始めます。

　実際に原典や発言の全文を読んでみると、それほど過激でも、間違って
もいないことがわかる場合があります。逆に、もっと都合の悪いことが隠
されていたことが発覚するかもしれません。こうしたことに惑わされない
ためには、自分で原情報にあたったほうが安心ですし、何より自由自在に
調べられます。

まとめサイトやフェイクニュース

　まとめサイトやフェイク（偽）ニュースの問題もあります。まとめサイトはテーマに沿ってWeb上の関連情報を収集し、編集して記事にまとめてあります。一度にいろいろなサイトの抜粋を見られるのは便利ですが、実際には、偏った観点から編集されていたり内容の吟味や保証がされていなかったり、デマを含むような質の悪いサイトも数多くあります。フェイクニュースは、その名の通り真実ではないニュースが、真偽が確かめられないままSNSなどで拡散され続けます。単なるいたずらの場合もありますが、情報操作を狙ったものもあります。

　通常、この手のサイトには**アフィリエイト広告***を設置してあり、閲覧数（Page View：PV）に応じて運営者の広告収入増につながります。このため閲覧者の興味の引くようなテーマで扇動的な見出しをつけ、検索上位に表示されやすくする工夫をしています。

　こうしたサイトは、個人が運営していたり企業がライターに記事を書かせたり、運営形態はさまざまですが、情報の妥当性が保証されずに公開されているケースが多くあるので注意が必要です。

> *アフィリエイト（affiliate）とはもともとは「提携」を意味し、Webページ上に広告を設置することで、Webページの運営者に広告収入が入る仕組みです。

まとめ
・出典、原典、原情報をできるだけ自分で確認する
・加工された情報にはタイムラグがある
・文脈を無視して切り取られた情報のひとり歩きに注意する
・デマや扇動的なサイトに惑わされないように自分で判断する

失われたWebページを求めて
　Webアーカイブを使ってみる

Webページの儚さ

　印刷物とは異なり、Webページは何らかの理由でなくなってしまうことがあります。サーチエンジンで調べた時に検索結果のWebページがなくなっていた経験はないでしょうか。

　Webサイトは権限をもつ人であればいつでもサイト内のページの内容を更新すること、ページそのものを削除することができます。また、Webページの住所であるURLも変わることがあります。

　結果として、URLをメモしておいても次にアクセスした時に、前回アクセスしたページが存在する保証も、ページがあっても前回と同じ内容である保証もありません。Webそのものには過去のWebページを保存しておき、遡ってその内容を見ることができるアーカイブ機能はありません。しかし、サーチエンジンのキャッシュやWebアーカイブといったサービスでは過去のWebページを見ることができます。

サーチエンジンのキャッシュ

　多くのサーチエンジンでは利便性向上のためにキャッシュという仕組みを用意しています。キャッシュはサーチエンジンがWebページを最後にクローリングした時点での複製物のことで、その時点でのページのスナップショット（保存されたページ）になります。キャッシュを利用することで、Webサイトから消された、あるいは内容が更新されたWebページを見ることができます。ただし、キャッシュはあくまで一時的なものです。保存期限はサーチエンジンによって異なりますが、長期間、保存されるものではありません。あくまで直近の削除や更新で失われたページにアクセスするための手段です。

　キャッシュを利用する方法はサーチエンジンによって異なります。

Googleの場合には検索結果中にある「キャッシュ」というリンクをたどることで利用できます。表示されたキャッシュは現在のWebページではなく、クローリングした時点でのページの複製物であることが明示されています。

　ニュースサイトなどのように更新がよく行なわれるサイトに対して、サーチエンジンは頻繁にクローリングを行ないます。そのため、後述のWebアーカイブよりも新しい情報を保存できている可能性が高くなります。何らかの理由でアクセスが一時的にできないページがあった時やちょっと前のページにアクセスしたい時に、サーチエンジンのキャッシュはとても便利な機能といえます。

Webアーカイブ

　Webアーカイブとは、Webページを収集、保存し、さらに提供することです。代表的なWebアーカイブとしては、インターネット・アーカイブをあげることができます。

インターネット・アーカイブ　　https://archive.org/

　インターネット・アーカイブは国や主題を限定せずに、1996年からWeb全体を対象として収集、保存を行なっています。WebページのURLを指定すると、カレンダーにそのページが収集された時点を示す印が表示されます。日付を選ぶことで過去のその時点で収集されたWebページを見ることができます。2020年9月時点で4,680億件と膨大な量のWebページのアーカイブであるため、対象とするWebページのURLがわかっていればとても有用なサービスといえます。また、URLがわからない場合にはキーワードを入力し、出てきた検索結果からブラウジングすることもできます。

　実は、インターネット・アーカイブは、正式にはインターネット・アーカイブという団体が提供するウェイバックマシン（Wayback Machine）

というサービスを指します。ただし、一般的にはインターネット・アーカイブとされており、わかりやすくするため、俗称を用いました。

　インターネット・アーカイブはWebアーカイブ以外にも画像、動画、電子書籍、オープンアクセスの論文、ソフトウェア（ゲーム中心）などのマルチメディアアーカイブも提供しています。

個々のページのアーカイブ

　インターネット・アーカイブのようにWeb全体を対象としてアーカイブを行なうのではなく、消えそう、あるいは、内容が変更されそうな個々のWebページを対象として、必要に応じてスナップショットをとるサービスがいくつか存在します。日本で広く使われているものとしては、例えば、ウェブ魚拓（https://megalodon.jp/）があります。誰でもページを登録できるという点で、モラルに反するページなども登録されることもあります。リスクがあることに留意しましょう。

WARP	https://warp.da.ndl.go.jp/

　日本のWebアーカイブとしては、国立国会図書館がWARP（インターネット資料収集保存事業）として日本国内のWebサイトの収集、保存を行なっています。以前は著作権法上の制約がありましたが、2009年、国立国会図書館法が改正され、国会図書館はWebサイトのアーカイブを自由に収集できるようになりました。そのため、2010年以降、日本国内の公的機関を中心としてWebサイトをアーカイブし、提供しています。2020年3月現在約12万件のタイトルに関する約80億以上のファイルが登録されています。

　WARPは他のWebアーカイブと同様にURLから過去のページを探すことができます。それ以外にアーカイブを探索するためのディレクトリを用意しているため、過去のイベントのサイトなどを主題から探すこともできます。

【例題】 2002年に開催された日韓ワールドカップのサイトを見たい

　FIFAワールドカップサッカーの2002年大会は日韓合同で実施されました。このようなイベントで作られたWebサイトはイベント後しばらくしてなくなることが多く、日韓ワールドカップのサイトも今はありません。

　消失してしまった日韓ワールドカップのサイトのURLはhttp://www.jawoc.or.jp/なので、このURLがわかればインターネット・アーカイブでも探すことができます。ただし、URLがわからないで探す場合、WARPが便利です。WARPのトップページにある「イベント」「スポーツ」とリンクをたどると、このワールドカップのサイトが表示されます。

Webアーカイブによるリスク

　これまで述べてきたように、Webアーカイブがあることで過去のWebページに遡れる点は非常に便利です。ただし、一方で、個人情報の侵害などの点から削除したいWebページがあった時に、元のページを削除してもWebアーカイブには残り続けるリスクもあるといえます。もし万が一自分の意に沿わない情報がWeb上に流出した場合には、サーチエンジンだけでなく、Webアーカイブなども含めて削除依頼を行なうことが必要になります。

まとめ
- Webページはなくなってしまうことがある
- 過去のWebページに遡る手段はいくつかある
- サーチエンジンのキャッシュによって少し前のWebページに遡ることができる
- 長期間遡る場合にはWebアーカイブが有効である
- Webアーカイブによって個人情報がいつまでも消えないこともある

---

10 日本語だけに頼らない
英語は英語で検索しよう

急がば回れ

　私たちは英語に苦手意識があると、海外の情報であっても、ついつい日本語で検索して済ませてしまいがちです。しかし、日本であまり知られていない事象や最新データなどを調べたい場合に、日本語だけで検索するのには限界があります。海外からの情報として伝えられていても、恣意的に翻訳されていることもあるかもしれませんし、情報を日本語に翻訳して編集する手間と時間が余計にかかっているでしょう。

　Webページの使われ方についての情報を提供しているW3Techs － World Wide Web Technology Surveys（https://w3techs.com/）によると、世界中のWebサイトで用いられる言語は、2020年9月1日現在で、過半数に当たる59.8%が英語で記述されており、次いでロシア語8.7%、日本語は2.2%となっています。このように情報量の面では英語が圧倒的に有利といえます。

　外国語で検索するとなると、**Google翻訳**などの無料の機械翻訳機能に頼りたくなります。翻訳機能を使うと個々の単語の意味を調べなくてもいいのは大きなメリットですが、サイトのページごと日本語に翻訳してしまうと、今一つピンとこない結果に終わることも多々あります。最近のGoogle翻訳はディープラーニング（深層学習）と呼ばれる機械学習の成果で、翻訳の精度が目をみはるほど向上していますが、細かいところで文脈を取り違えたり、辞書にない言葉が出現して、意味が通らなくなったりすることはまだあります。

　もちろん情報の性格やサイトの内容の難易度やインタフェースによりますが、英語で検索して、検索結果のページを英語のままで読んだほうが往々にして早くて確実であることを、意識の片隅に置いておきましょう。Google翻訳については第Ⅳ章11「機械翻訳を使いこなす」でも後述します。

日本語翻訳までのタイムラグに注意

　最新データや最新情報を知りたい時に、日本語のページを閲覧していると、出典（原典）の情報やデータが公表されてからのタイムラグ（時間的なずれ）が長いものを見かけたりしませんか。翻訳や編集には労力とコストがかかるので、「最新データ」といっても数年前のまま更新されていないこともあります。あまり変動のない性格の情報や、ちょっとした目安として使うなら事足りますが、現時点の最新情報を知りたい場合にはそれでは困ります。

　例えば、先に参照したWorld Wide Web Technology SurveysのWebページの言語の分布についても、執筆時点では最新情報でも、この本が出版される頃には古い情報になっているでしょう。最新情報は元のサイトを参照するのが早道です。これはオリジナル情報に当たるほうがいい話と共通していますが、できるだけ最新情報を見つける手立てを知っておきたいものです。最近はFacebookなどのSNSで情報発信をする機関も増えているので、SNSで最新情報をチェックしてみるのもいいでしょう。

日本語では得にくい情報

　なじみがあるようで案外日本語では調べにくい情報もあります。ノーベル賞やオリンピック、国際的なコンクールの報道などは日本人や世界的な著名人が関わっていると国内で大きく報道されますが、それ以外の場合は特に知らないまま終わってしまうことがあります。海外の最新ニュースなども日本語では得にくい情報の１つです。オリンピックで日本人が出場しない競技種目の詳細や、日本人が関わっていない大きな事故や事件なども、海外のニュースサイトを直接探したほうがいい例です。

【例題】2016年ノーベル賞受賞者全員の氏名と受賞理由を知りたい

　2016年のノーベル生理学・医学賞は日本の大隅良典博士が受賞して大きく報道されました。文学賞は著名なミュージシャンであるボブ・ディラン

氏が受賞しましたが、異色の人選であることと本人が受賞を受け入れるか否かに注目が集まり、日本でも話題となりました。

　では、その他の賞はどのような人たちがどのような理由で受賞したのでしょうか。手っ取り早く知るなら無料百科事典のウィキペディア*（https://ja.wikipedia.org/）を使う人もいるかもしれません。ノーベル賞の公式サイトNobelprize.org（https://www.nobelprize.org/）を見ると、"NOBEL PRIZES AND LAUREATES" という項目に、各賞の受賞者の氏名と受賞理由の一覧が顔写真入りで載っています。"Ceremonies Archive" では、授賞式の様子の動画や全体のプログラムを遡って閲覧できます。Facebookページも用意されています。

日本語インタフェースの落とし穴に注意

　最近、海外のユーザを獲得するために、各地の文化や言語に合わせてローカライズ（現地化）したWebサイトをよく見かけるようになりました。例えば、日本国内からアクセスすると自動的に、画面上の項目名や文言を日本語化した日本語インタフェースが表示されるので便利です。もちろん、表示言語は必要に応じて切り替えることもできます。

　とはいえ、これらがすべて日本語で利用可能とは限りません。例えば、書誌データベースのWorldCatは日本語インタフェースを採用していますが、検索対象の書誌データは一部の和書を除いては、英語もしくは原語で調べる必要があります。その他の海外の有料データベースも、多言語対応のインタフェースを採用していても、基本的に実際の検索は英語で行ないます。

　もし、サイト運営者が本格的にサイトのローカライズをするな

*ウィキペディアの情報は不正確といって使わない人もいますが、手軽に物事の概要を知り、検索の手がかりを得るには便利な情報源です。ウィキペディアは通常、各記述について出典も明示するルールになっていますので、リンク付きの情報源としても活用できます。ウィキペディアの情報を利用する場合には、併せて参照するようにしましょう。英語圏のページの多さを考えると英語版のWikipediaも有用です。

ら、単純に翻訳するだけでなく、国民性や文化に合わせて構成やレイアウトも変える必要があります。その分サイトの構築にはコストがかかるので、現地の言語以外のページは更新回数や情報掲載量が少ないかもしれません。多言語対応のサイトの場合も、言語によってページの情報量に差があるでしょう。

　そのほか、全体的に和訳されていても、検索やデータの部分は英語のままというサイトもあります。例えば、世界一記録を集めたギネス記録の日本語公式サイト（https://www.guinnessworldrecords.jp/）は、サイト内のニュース記事は日本語で検索できますが、それ以外の記録は英語で検索する必要があります。

　英語圏以外でも公共性の高い機関の公式サイトは英語版が用意されています。原語で検索することを想像すれば、英語版があるだけ幸運かもしれません。日本語インタフェースがあってもほんの入り口と割り切って、英語でも調べることを心がけてみてください。

まとめ

・英語で調べると、日本に伝えられていない情報も調べられる
・原情報の公表から和訳までのタイムラグに注意する
・いきなり全文を自動翻訳しても意味が通らないことがある
・SNSで最新情報の発信する機関も増えているのでチェックする
・国際的な機関や公共性の高いサイトには英語版があることが多い

11 機械翻訳を使いこなす
日本語を各言語へ翻訳するコツ

英語以外の言語で書かれたページを使う

　世界中のWebページの半数以上が英語ということは、半数近くは、日本語と英語以外の現地語（＝外国語）ということです。英語版ページを併用しているサイトでも、翻訳にかかるコストの問題から英語版は必要最低限の情報になっている場合もあり、詳細に調べるには現地語のページを参照する必要も出てきます。

　情報を探す際は、できるだけ信頼性のあるサイトを利用するべきですが、検索の途中で個人のブログなどで情報の手がかりを見つけることもあります。最近は若い人たちを中心に、サーチエンジンではなく、InstagramやTwitterなどでファッションや流行の情報を探す人が増えてきました。個人が発信するこれらの情報の方が、旬の情報をリアルタイムに見つけられるからです。世界各地で個人が自由に情報発信しているページの多くは、彼らの母語で書かれているでしょう。

　求めている情報が英語以外の外国語で書かれている場合、英語ですらハードルが高いのに、その内容をどのように読解すればよいでしょう。

機械翻訳機能を利用する

　Web上の機械翻訳は、サーチエンジンに付随した機能のほか、独立した翻訳サイトなどいくつかのサービスがあります。はGoogle翻訳（https://translate.google.co.jp/）は、日本語、英語、中国語、韓国語、フランス語、ドイツ語、スペイン語、ポルトガル語などの100言語以上に対応しています。また、DeepL翻訳（https://www.deepl.com/）は口語も含めて翻訳精度に定評があります。どちらのサービスも使い方は、翻訳させたい文を入力またはコピー・アンド・ペーストすれば、文単位で翻訳することができます。Google Chromeなどのブラウザでは現在表示しているWeb

ページ全体を翻訳する機能が備わっています。

機械翻訳を使いこなす

　各言語の中で英語は特に使用者が多いので、英文和訳も和文英訳も、ある程度高水準な翻訳が可能です。ところが、英語以外の言語を対日本語で翻訳する場合は、不適切なところで区切ったり文脈を無視して単語を訳したりして、意味不明な文章になることがあります。英語以外の言語の翻訳がうまくいかない時は、機械翻訳の限界と諦めず、いったん英語に翻訳し、英語で読むのも有効な一手です。

　もともと構文や単語が英語と似ているヨーロッパの言語は互いに文章を置き換えやすく、また、アジアや他の言語でも対英語で翻訳されることが多いので、翻訳機能の強化に必要な例文が多く用意されています。

【例題】デンマーク語の利用案内を和訳する

　フランス語やドイツ語ほどメジャーでないヨーロッパ言語の例として、デンマーク語を Google 翻訳で和訳してみましょう。デンマーク語はドイツ語と同じゲルマン語派に属しています。コペンハーゲン図書館（https://bibliotek.kk.dk/）の電子資料（E-materialer）の説明を見ます。

デンマーク語（原文）：

E-materialer er elektroniske opslagsværker, aviser og tidsskrifter, e-bøger og andre netmedier, som biblioteket stiller gratis til rådighed for borgerne. Brug e-materialerne til at låne netmedier eller søge i databaser efter alverdens emner.

　まず、デンマーク語から日本語に翻訳します。

日本語（デンマーク語の和訳）：

　電子資料とは、図書館が市民に無料で提供している電子参照作品、新聞、雑誌、電子書籍、その他のオンラインメディアです。電子資料を使用して、オンラインメディアを借りたり、あらゆる種類のトピックのデータベースを検索します。

　単語の意味は拾えているので、なんとなく意味はわかりますが、ぎこちない文章です。次に原文を英訳してみます。

英語（デンマーク語の英訳）：

　E-materials are electronic reference works, newspapers and magazines, e-books and other online media, which the library makes available to citizens free of charge. Use the e-materials to borrow online media or search databases for all sorts of topics.

　このぐらいの英語であれば内容を理解できないでしょうか？原文の難易度にもよりますが、意味が通りにくい時は試してみてはいかがでしょうか。

翻訳精度が高いDeepL翻訳

　第Ⅳ章10「日本語だけに頼らない」でもふれたように、ディープラーニングが機械翻訳に応用されるようになってから機械翻訳の進化には目覚しいものがあります。特に2017年からサービスが始まったDeepL翻訳は、人間が翻訳するような自然な表現でより正確な翻訳文を出力すると言われています。実際に上記のGoogle翻訳が英語に訳した文章をDeepL翻訳に入力し、日本語に翻訳してみます。

日本語（英語の和訳）：

　電子資料とは、図書館が市民に無料で提供している電子資料、新聞・雑

誌、電子書籍などのオンラインメディアのことです。電子資料を利用して、オンラインメディアを借りたり、データベースを検索したりして、様々な話題を探すことができます。

　自然な文章になっていることがわかります。ただし、DeepL翻訳は英語、フランス語、ドイツ語などの主要な言語には対応していますが、Google翻訳ほどには使用人口が少ない言語には対応していません。

機械翻訳を使ってよりこなれた外国語文を作る

　機械翻訳は海外の情報源を検索するさいに便利ですが、さらに日本語文を外国語訳するさいにも便利に使うことができます。ただ、翻訳の機能が上がったとはいえ、文法や構文の違いを意識せずに思いついたままの日本語文を入力すると、あまり外国語文らしい外国語文にはならないようです。こういう時は、いったん単純な構造の日本語文にしてから、それを外国語翻訳してみるとこなれた表現になります。

　例えば、主語や目的語がなくても通じる日本語と違って、英語をはじめとするヨーロッパ言語は主語が必要なので、あえて明確に主語や仮主語（it）を補います。さらに「何をどうした」という目的語を省かないようにします。また、1文に動詞をたくさん含めたり修飾語を多用したりせず、単純な短文をつなぎあわせていくようにします。文章の順番を入れ替えたり、しっくりくる表現が見つかるまで複数の翻訳サイトを参照したりするものいいでしょう。

まとめ
・ヨーロッパ言語の場合、日本語訳ではなく英語訳が有効なときもある
・ディープラーニングで自然で精度の高い機械翻訳が可能となってきた
・機械翻訳する際は元の文の構造を翻訳先の言語の文の構造に合わせる

12 あの言葉で見つけたい
図書を全文検索する

図書の本文で探したい

　以前に読んだ小説の一節はよく覚えていても、そのタイトルが思い出せなかったり、ある記述がどこにあるか見つけたかったり、複数の図書をWeb上で立ち読みのように見比べてみたかったりすることはありませんか。著者やタイトルではなく本文から探したい時は、図書の全文が検索できるサイトを使ってみましょう。

　例えば、「おい、と声を掛けたが返事がない」という文をサーチエンジンでフレーズ検索してみると、青空文庫やGoogleブックス検索の該当ページが表示され、夏目漱石著『草枕』の一節であることがわかります。どちらも図書のデータを全文検索できるサイトです。

　サーチエンジンでもある程度調べられますが、検索ノイズが増える可能性があります。目的によって、これらのサイトを直接利用すれば、もっと効率よく図書の内容を探すことができます。

> 青空文庫　https://www.aozora.gr.jp/

　青空文庫は、「インターネットの電子図書館」を目指して、文学作品を中心におよそ14,000作品を、テキスト形式とXHTML（一部はHTML）形式に電子化して収録しています。無料で閲覧とダウンロードができます。収録対象は、著作権の保護期間が満了しているか著作権者が公開に同意した作品で、印刷物の図書は底本にしたがってボランティアが手作業で入力しています。コンピュータで表示できない漢字や記号は、画像化して埋め込んでいる場合もあります。

　青空文庫に収録された作品を探すには、トップページにある50音別一覧表で作家名、作品名からたどります。またはページ右上の検索ボックスは作家名や文中の一節などでサイト内検索をします。Googleほか複数のサー

チエンジンに切り替えて検索でき、検索結果は各サーチエンジンの画面で表示されます。

外国語の場合は、Project Gutenberg（https://www.gutenberg.org/）やBibliomania（http://www.bibliomania.com/）などのサイトがあります。

Googleブックス　https://books.google.co.jp/

Googleが提供するGoogleブックスは、図書や雑誌の全文検索と閲覧およびダウンロードが可能なサービスです。通常のGoogle検索でも「書籍」に検索対象を設定するとGoogleブックス検索になります。

収録対象は、著作権が満了したものと、著作権が存続しているものがあり、著作権が満了しているものは全文公開され、電子図書館としても機能します。それ以外の著作については、全文が検索対象であっても閲覧可能な部分は制限される場合があります。データの提供元は、蔵書のデジタル化とWeb上への公開に同意した各国の提携図書館と、出版物の周知と販路拡大の機会として参加した出版社や著者の2通りです[注]。

収録データは、基本的にはGoogle社が印刷物からスキャンしてデジタル化して、各単語が検索対象になるように索引を設定しています。条件によって、電子データのWeb上での閲覧やダウンロード、印刷物の購入や図書館へのリンク、電子書籍の購入など、複数の入手手段へのリンクが提示されます。電子版はGoogleの専用アプリで購入します。

原則として、画面上で閲覧できる割合や期間は、著作権者である出版社や著者によって指定されます。ダウンロード可能な場合は、収録データは、PDF形式や、EPUB形式（電子書籍の規格）で提供されます。

注：Google ブックスについて
https://books.google.co.jp/intl/ja/googlebooks/about.html（2020/09/01）

その他の機能

　通常のGoogleのように、検索オプションで詳細検索が可能です。検索語の論理演算のほか、著者やタイトルなどの項目でフィールド検索ができます。限定表示か全文表示か、図書か雑誌かなどの指定ができます。

　Googleのアカウント（Gmailアドレス）でログインすれば、その他のさまざまな機能が利用できます。

【例題】電子書籍のフェアユースについての記述がある図書を探したい

　＜キーワード＞＝「電子書籍　フェアユース」で検索すると、1,000件以上の該当がありました（図4-12-1）。スニペットの上部に、「プレビュー利用可」「プレビューあり」「プレビュー－他の版」などの表示があります。プレビューがあるものは、個別のリンクを開くと、目次や本文中の検索語に該当する文字がハイライトや太字になっています。印刷物の図書を含め、媒体ごとの購入手段のリンクが表示されます（図4-12-2）。

図4-12-1　Googleブックス検索結果

図4-12-2 個別の詳細情報

Googleブックスの注意点

　印刷物をスキャンして電子化したデータについては、もとの印刷物の状態によっては、プレビューの文字が不鮮明だったり、似たような別の字に置き換わったりしている場合があります。個別の詳細データ内にある所蔵図書館へのリンクは、書誌データベースのWorldCatへのリンクとなっており、国内で利用できる図書館の数は多くありません。

> **まとめ**
> ・複数の図書を中身の記述で検索できる
> ・Web上での閲覧、書籍の購入など、複数の入手手段を選べる

13 誰のために調べるのか
代行検索のポイント

母と子の会話

　ある日、東京近郊のとある家庭からこんな会話が聞こえてきました。

母：ねえねえ、軽井沢のアウトレットまで、どのくらいかかるか、ちょっ
　　とインターネットで調べてくれない？
子：オッケー。調べてみるね。

― 検索中 ―

子：うーん、2時間弱かな。　　　　　　　　　　　　　　　　　【時間】
母：あ、そうじゃなくて、お金がどのくらいかかるかよ。　　　　【金額】
子：どのくらいってそういう意味か。で、どこから乗るの？　【乗車駅】
母：どこからって家から。　　　　　　　　　　　　　　　　　【出発地】
子：家から？？
母：そう、友達が車で連れてってくれるの。ガソリン代とか高速料金とか
　　出さなくていいって言われてるけど、そういう訳にはいかないでしょ。
子：なあんだ、そういうことか（それなら先にそう言ってよ……）。

　PC操作が苦手なお母さんの頼みで子どもが情報検索にとり組んでみた
ものの、いきなりつまずいてしまったようです。お母さんが知りたかった
のは、自宅から軽井沢のアウトレットまでの費用（ガソリン代と高速道路
料金）でしたが、子どもは新幹線の所要時間を初めに答えています。何が
食い違って遠回りになったのかを、順にみていきましょう。
　まず、最初の質問では「どのくらい」という言葉が、費用に対してなの
か時間に対してなのか、双方の背後にある前提がずれています。金額とわ
かったところで、次は交通手段が食い違っています。自動車で行くこと
を、当事者であるお母さんは当然知っていますが、子どもはそれを知りま

せん。日常的に自動車を使わない家庭だったり、軽井沢なら新幹線と思い込んでいたりしたら、自動車は思いつかないかもしれません。

　自分自身ではなく、誰かの代わりに検索する時はこういう食い違いが起こりがちです。では、どういう点に気をつければいいのでしょうか。

情報検索のプロのやり方

　かつて、高価なコンピュータを個人所有することは珍しく、ネットワークへの接続料やデータベースの使用料も高額だった頃は、情報検索をするためには専門の知識と技能が必要でした。こうした情報検索の専門家を**サーチャー**、その情報を使いたい（**情報要求**をもった）人を**エンドユーザ**と呼びます。そして、エンドユーザの代わりに検索することを**代行検索**といい、操作に慣れていないエンドユーザが検索するよりも、専門のサーチャーに依頼するほうが合理的でした。

　手軽に使えるサーチエンジンや無料のデータベースが増えた現代では、エンドユーザ自身による検索が主流になってきました。しかし、冒頭の例のようにPCやインターネットに苦手意識をもった人から頼まれて、代わりに検索をするような機会も増えているのではないでしょうか。

　自分自身の情報要求の場合は、検索と並行して判断や評価も行ないながら進めることができます。しかし、代行検索の場合は一通り検索が済んでから、依頼者の情報要求と照らし合わせるしかありません。事前に、依頼者とのコミュニケーションを十分にとって、何をどの程度知りたいのかという依頼者の情報要求をよく聞き取りをし、依頼者の希望に沿って検索戦略を立てる必要があります。この聞き取りを**プレサーチインタビュー**といいます。そして、依頼者がすでに何を調べていて何を知っているのかを正確に把握して記録し、無駄な検索をしないようにします。

　図書館での**レファレンスサービス**（**質問回答サービス**）も代行検索の一種です。レファレンスサービスでは、レファレンスインタビューによって、利用者の欲しい情報を把握したり、これまで何を調べたかを尋ねたり

します。

　日常生活において誰かに情報検索を頼まれた時も、こうしたことをヒントに検索目的や範囲を明らかにし、メモを取っておきましょう。

母と子の会話（改良版）

　では、先ほどの会話を改善した例を見てみましょう。

母：ねえねえ、軽井沢のアウトレットまで、どのくらいかかるか、ちょっとインターネットで調べてくれない？

子：どのくらいって、お金？　時間？　　　　　　　　【検索対象の確認】

母：お金よ。ガソリン代とか高速料金とか。

子：ガソリン……ってことは、車で行くの？　　　　　【交通手段の確認】

母：そう、友達が車で連れてってくれるの。ガソリン代とか高速料金とか出さなくていいって言われてるけど、そういう訳にはいかないでしょ。

子：オッケー。じゃあ東京から軽井沢までの行き方をまず調べてみるね。

— 検索中 —

子：軽井沢のアウトレットの交通アクセスのページを見ると、練馬I.C.からだと関越と上信越で合わせて1時間40分。碓氷軽井沢I.C.で降りて、そこから15分ぐらいかかる。

母：車でも2時間ぐらいなのね。高速料金はどのくらいかしら。

子：高速料金が調べられるページを探してみよう。

— 検索中 —

子：そのルートだと130キロぐらいで、通常料金は3,640円で休日料金は2,900円だって。次は、ガソリン代か。ガソリンっていくらぐらいか知ってる？

母：さっきガソリンスタンドで見てきたら125円/Lって出てたけど。

子：125円だね。うーん、どうやって計算するのかな。Googleで「ガソリン代 計算」って調べてみよう。

— 検索中 —

子：ガソリン代が計算できるページが出てきたよ。車種によって違うんだ
　　ね。車の燃費が1リットルあたり10kmとすると、ガソリン代が125円
　　だから、片道130キロだと1,625円だって。大体そんな感じじゃない？
母：ありがとう！　助かったわ。友達に聞いても「いいから、いいか
　　ら」って教えてくれなくて……。おみやげたくさん買ってくるわね。
子：やったー！

　今度は、「どのくらい」が何の検索対象（お金か時間か）を指すのかと、
交通手段（自動車）を確認して、スムーズに検索が始まりました。さらに、
お母さんが知りたいこと（情報要求）は「東京から軽井沢までのガソリン
代と高速料金」ということを2人とも了解して、まず目的地までの道のり
を調べ、専用のサイトで高速料金を調べました。次にお母さんが知ってい
たその日のガソリンの価格をもとにして、その距離のガソリン代を算出し
ました。
　ここで大事なのは、事前だけでなく検索中もコミュニケーションをよく
とっていることです。何を調べているのかを代行検索者（子ども）が報告
しながら進め、お互いの協力のもと目的の情報が得られました。

まとめ
・代行検索の場合は依頼者の情報要求をしっかり把握するために、
　何をどのくらい調べたいかを事前にインタビューする
・双方の思い込みが食い違わないように、検索経過を確認する

---

14 検索は何をもって成功なのか？
検索評価の観点

検索が成功したかを判断する基準

　何らかの検索を行なって、その検索がうまくいったかどうかを判断するには、どのような基準があるでしょうか。また、検索システムの性能の比較には、どのような基準を用いるでしょうか。ここでは情報検索が成功したか否かを判断する基準のうち、代表的なものを紹介します。

どれだけ期待通りだったか

　検索質問に対して、どの程度検索結果が適合しているかという基準を**適合性**（relevance）といいます。例えば、「救難信号のメーデーについて知りたい」という検索質問があった時に、サーチエンジンで＜キーワード＞＝「メーデー」と検索したとします。その結果、救難信号としてのメーデーに関するWebページがあれば、期待通りの検索結果なので、この検索質問に適合しています。一方、検索結果中の「労働運動」に関するWebページは、期待したものとは違っていて検索質問には適合しないことになります。

　検索質問に対して適合しているかどうかの基準は、後で述べる他の基準と比べると判断しやすいため、第Ⅰ章5「検索には戦略がある」で紹介した再現率や精度を算出する時の基準や、検索システム同士の性能評価に用いられています。

　とはいえ、適合性については扱いが難しい点もあります。なぜなら、その人が欲しい情報のイメージである情報要求は、必ずしも検索質問として過不足なく言語化されるものではないからです。適合性は情報要求に検索結果が適合しているかの判断ですが、検索質問に基づいて検索式を構築したとしても、情報要求と検索質問の間にはずれが生じることがあります。このため、情報要求との適合性と検索質問との適合性は必ずしも同じには

図4-14-1　情報要求と検索結果

なりません。

　例えば、ペンギンに関する情報を探したいけれど、「ペンギン」という語を知らない人を想定してみましょう。仮に、この人が検索質問を「飛べない鳥について調べたい」と表現したとして、＜キーワード＞＝「飛べない　鳥」として検索すると、検索結果には、ペンギンだけでなくダチョウの情報も含まれるでしょう。検索結果の中で、この人の本来の情報要求に適合するものは「ペンギン」ですが、「ダチョウ」に関するものも検索質問そのものには適合しています（図4-14-1）。

　このように、検索結果が情報要求と適合している関係と、検索質問と適合している関係がある場合、前者を「主観的適合性」や「適切性（区別のために用語pertinenceを使うこともあります）」、後者を「客観的適合性」や「（狭義の）適合性」と明示的に区別して扱います。

どれだけ目新しかったか

　検索者にとってどの程度目新しい情報が得られたかという基準が、**新奇性**（novelty）です。仮に、ある検索をした結果、出てきた情報が全てすでに知っているものであれば、その検索はしなくてもよかった無駄な行為といえるでしょう。一方で、ある検索をした結果、その人が今まで知らなかった情報を得られたならば、その検索はうまくいったといえます。

　新奇性は実際の検索においては有効な基準ですが、検索システム同士の性能を比較する際に適用するのは困難です。なぜなら、ある人が検索システムAと検索システムBの性能を比較する場面があるとすると、どちらのシステムを先に使うかによって、その人の知っていることが変わってしまい、当然、新奇性に基づく評価も変わってしまうからです。

どれだけ役に立ったか

　ある人にとって、その検索がどの程度役に立ったのかという基準を**有用性**（usefulness）といいます。これは、その人が検索結果からどのような形であれ、何らかの便益が得られたか否かを示すもので、他の基準と比べて、解釈が難しいといえます。

　例えば、検索結果から欲しかった情報が得られなかったとします。しかし、検索を行なう過程で検索システムの新しい機能を知ることができ、それが役に立ったと考えられるならば、その検索は有用性が高いと判断できます。

　では、実際に、適合性、新奇性、有用性という基準でそれぞれどう判断するかを紹介します。

【例題】明日が締め切りの「ミクロ経済学についてA4用紙1枚にまとめなさい」という課題の参考文献を探す

　OPACで＜キーワード＞＝「ミクロ経済学」として図書を検索したとしましょう。検索結果の中に、「ミクロ経済学」に関する図書が多く見つ

かったならば、適合性が高い検索になります。さらに、その人が知らな
かった図書が多く含まれていれば、新奇性が高い検索といえます。しか
し、適合性も新奇性も高くても、どの図書もその人にとって難しすぎて、
翌日までの課題作成には役に立たなければ、有用性が低い検索と判断され
ます。

　今度は、経済学の入門書に「ミクロ経済学」に関する初学者向けの記述
があることを期待して、改めて＜キーワード＞＝「経済学　入門」という
キーワードで検索し直したとしましょう。検索結果に「ミクロ経済学」に
適合している図書が少なければ、適合性が低い検索ですし、すでに知って
いる図書ばかりが出てきたなら、新奇性が低い検索といえます。

　一方、検索結果の入門書に「ミクロ経済学」についての記述がまとまっ
ていて、課題作成に役立つならば有用性が高い検索ができたことになりま
す。

まとめ
・検索がうまくいったかを判断する際にはいくつかの基準がある
・検索システムの評価に使われている基準は適合性である
・新奇性や有用性という基準は利用者の状況によって変わる

索　引

ゆ

有用性　134, 176

ゆにかねっと　62-63, 109

よ

ヨミダス文書館　83

47NEWS（よんななニュース）　85

り

リード　81

リレーショナル型データベース　9

る

類義語　25, 43-44, 47, 130, 133

れ

レコード　9-10

レファレンスサービス　8, 171

ろ

ロボット　35-36

ロボット型サーチエンジン　35-36

論調　84

論文　24, 67-76, 111, 113-114, 118, 136

論理演算子　10, 12, 15, 17-18, 20, 27

論理演算の優先順位　11-12

論理差　11, 27, 46-47, 138-139

論理積　11, 27, 31, 46, 126, 139

論理和　11, 27, 46-47, 123, 125, 130,
　　132, 134

わ

ワイルドカード　18

忘れられる権利　105-106

A

AND　10-15, 18, 27, 46, 126, 129,
　　139, 141

B

Bing → Microsoft Bing

Books　64

Books.or.jp　64

C

CiNii Articles　26, 68, 109, 112

CiNii Books　25, 62, 68, 73-75

D

DeepL翻訳　162, 164-165

DOI　71

DuckDuckGo　121

E

e-Gov　94-95, 98

e-Stat　89

F

Facebook　7, 119, 159-160

【著者プロフィール・執筆分担】

中島　玲子（なかじま・れいこ）　慶應義塾大学文学部非常勤講師
第Ⅰ章-1, 3, 4, 5, PC Tips-a, b, c, d, 第Ⅱ章-4, 5, 第Ⅲ章-8, 9, 第Ⅳ章-1, 2, 3, 4,
5, 6, 7, 8, 10, 11, 12, 13
〔共著〕情報検索演習（JLA図書館情報学テキストシリーズ 2-6）

安形　輝（あがた・てる）　亜細亜大学国際関係学部教授
第Ⅱ章-2, 3, 第Ⅲ章-3, 10, 第Ⅳ章-7, 9, 11, 14
〔共著〕情報検索演習（JLA図書館情報学テキストシリーズ 2-6）

宮田　洋輔（みやた・ようすけ）　慶應義塾大学文学部助教
第Ⅰ章-2, 第Ⅱ章-1, 2, 第Ⅲ章-1, 2, 4, 5, 6, 7, 第Ⅳ章-13
〔共著〕メタデータとウェブサービス　勉誠出版 2016（わかる！図書館情
報学シリーズ3）

注：共同で執筆した箇所は重複して示しています。

スキルアップ！情報検索—基本と実践 新訂第2版

2021 年 1 月 25 日　　第 1 刷発行
2022 年 10 月 25 日　　第 2 刷発行

著　　　者／中島玲子・安形輝・宮田洋輔
発　行　者／山下浩
発　　　行／日外アソシエーツ株式会社
　　　　　　〒140-0013 東京都品川区南大井 6-16-16 鈴中ビル大森アネックス
　　　　　　電話 (03)3763-5241（代表）　FAX(03)3764-0845
　　　　　　URL　https://www.nichigai.co.jp/

組版処理／日外アソシエーツ株式会社
印刷・製本／株式会社平河工業社

ISBN978-4-8169-2862-8　　**Printed in Japan, 2022**

プロ司書の検索術 ― 「本当に欲しかった情報」の見つけ方

入矢玲子著

四六判・250頁　定価2,530円（本体2,300円＋税10%）　2020.10刊

学術情報へアクセスするための極意を、情報検索のプロである大学図書館司書が伝授。検索時代における図書館の機能と図書館員の役割がわかる。

図書館活用術 新訂第4版 ―検索の基本は図書館に

藤田節子著

A5・230頁　定価2,970円（本体2,700円＋税10%）　2020.2刊

ネット利用に偏りがちな昨今の検索方法に対し、図書館で入手できる情報源の有用性、信頼性を解説。理解を助けるための豊富な図・表・写真を掲載し、図書館の活用法、利用法について徹底ガイド。索引を完備、参考資料・用語解説を付し、より深く読者の理解をサポート。

レポート・論文作成のための
引用・参考文献の書き方

藤田節子著

A5・160頁　定価2,200円（本体2,000円＋税10%）　2009.4刊

レポートや論文を執筆する際に引用・参考にした文献の正確な書き方を詳しく説明。図書・雑誌記事だけでなく、新聞、判例、テレビ番組、音楽、Webサイトなど、様々な資料の書き方を事例を交えながら紹介。実践力を養う練習問題付き。

CD-ROMで学ぶ 情報検索の演習 新訂4版

田中功・齋藤泰則・松山巌 編著

A5・100頁（CD-ROM1枚付き）　定価2,750円（本体2,500円＋税10%）　2013.2刊

司書課程・司書講習の必須科目「情報サービス演習」に最適なテキスト。検索のための基礎知識および演習問題を掲載した冊子と、演習用のデータベースを収録したCD-ROMとで構成。CD-ROMには実際の検索演習に使用できる4種のデータベース（新聞記事原報、図書内容情報、雑誌記事情報、人物略歴情報）を収録。Windows 7 64bit版対応、Windows 8、10 での動作確認済み。

データベースカンパニー
日外アソシエーツ

〒140-0013　東京都品川区南大井6-16-16
TEL.(03)3763-5241　FAX.(03)3764-0845　https://www.nichigai.co.jp/